D0767635

Comment se fixer des buts et les atteindre

Cet ouvrage a été publié sous le titre original:

ALL ABOUT GOALS AND HOW TO ACHIEVE THEM

Original English Language Edition published by:
DeVorss & Company
Copyright ©, 1977 by Jack Ensign Addington
All rights reserved

Copyright ©, 1979 par
Les Éditions «Un Monde Différent» Ltée
Pour l'édition en langue française.
Dépôt légaux 2e trimestre 1979
Bibliothèque Nationale du Québec
Bibliothèque Nationale du Canada

Conception graphique de la couverture:
PHILIPPE BOUVRY

Traduit de l'anglais par:
JEAN NEUVEL

ISBN-2-9200-0022-5

Jack Ensign Addington

Comment se fixer des buts et les atteindre

Les Éditions «Un Monde Différent» Ltée
C.P. 305
Beloeil, Québec, Canada
J3G 5S9

À ma femme Cornelia, dont les idées et la persévérance ont rendu ce livre possible.

Notre croissance est à la mesure de nos buts. Sans un but qui nous tient à coeur, nos âmes s'atrophient comme des muscles inactifs.

Frank Laubach

Bien des hommes et des femmes échouent dans la vie, non pas par manque de talent, d'intelligence, ni même de courage, mais simplement parce qu'ils n'ont pas su mobiliser leurs énergies en fonction d'un but primordial.

Elmer Wheeler

TABLE DES MATIÈRES

N'acceptez pas la défaite sous aucun prétexte
Votre programme: Une aide fantastique!
Il découvre que toutes les phases de la vie s'améliorent
Ses buts se sont réalisés de façon parfaite
L'usine invisible de la vie
Certains buts se réalisent rapidement, d'autres plus lente-
ment
Imaginez le produit fini et il se matérialisera
C'est comme tenir sa tasse pour la faire remplir
Des rêves qui se réalisent de façon merveilleuse
Amour - Réussite en affaires - Nouvelle maison - autant de
buts atteints

Le subconscient travaille pour nous, même pendant notre
sommeil
Voyons comment l'esprit travaille
Quelques fois nous avons à convaincre le subconscient que
nous sommes sérieux
L'habitude de fumer et les buts
Où cela se passe-t-il?
Choisir ses buts
Auto direction et buts
Les buts et le travail acharné
Fixer des buts et les atteindre, plus qu'une mécanique

Comment choisir votre nouvelle vie
Vous devez faire vos propres choix
Vos choix deviennent vos buts

Comment analyser vos désirs
Parfois nos choix nous amènent à travailler fort
Qui choisit vos buts? Qui est votre référence secrète?
Souvent nos désirs enfantins deviennent des buts à long terme
Parfois votre but peut être de demeurer stationnaire
Les choix négatifs peuvent travailler contre vous
Le subconscient peut être un ami ou un ennemi

Est-il nécessaire de dresser une liste?
Il y a plusieurs sortes de buts
Les buts à long terme
Marier deux buts l'un à l'autre
Plusieurs buts à long terme sont compatibles
Relier des buts à long terme afin d'atteindre un objectif majeur
Parfois atteindre un but requiert un effort plus grand que celui que nous sommes disposés à fournir
Buts à court terme - buts quotidiens - buts aide-mémoire
La ténacité rapporte
Subordonner les petits objectifs de tous les jours à des objectifs majeurs
Les buts de chaque instant
Tout le monde devrait se fixer des buts
Se fixer des buts, c'est respecter les priorités
Peine et misère ne sont pas nécessaires pour atteindre un but
Concentrez votre attention sur votre but
Faire un acte de foi et se créer des dettes ne sont pas synonymes

Comment les attitudes négatives produisent des résultats
négatifs
Se fixer des buts est un art
Pourquoi certaines personnes ne semblent jamais réaliser
leurs buts
Le cycle de réalisation
Ne vous attendez pas à ce que tous les buts soient atteints
en un an
Buts négatifs et point de vue positif
La plupart des gens sont trop vagues quand ils se fixent des
buts
Soyez réalistes
Vaincre les difficultés par des buts positifs peut vous ap-
porter une force intérieure
Créer l'ambiance mentale idéale
Cessez de condamner vos actes et ceux des autres
Se fixer des buts par la prière
La clé pour se fixer et atteindre un but
Est-ce que la défaite signifie que tout est perdu?
La connaissance des lois nous aide
La tension et les buts
Les buts donnent une direction à la vie

Techniques que vous pouvez utiliser pour atteindre vos
buts
Comment choisir un but réaliste

Comment un but qui semble irréalisable peut devenir réalisable
Les buts doivent être quelque chose qu'on peut assumer
La technique de l'auto-identification
La puissance du «Je suis».
Être flexible n'est pas vaciller
La technique du miroir
La technique de la visualisation
Ne pas confondre visualisation et rêvasserie
On dirait parfois de la magie
Par la visualisation, certains buts se réalisent rapidement
La technique de la carte aux trésors
La technique de vivre son rêve
Attention où vous marchez - certains rêves sont des cauchemars

La technique de l'autodétermination
La volonté
La valeur de la concentration
La technique de l'enthousiasme émotif
La technique de l'auto direction
Comment l'auto direction négative peut vous vaincre
Un exemple d'auto direction
Qualité du leadership - fixer des buts pour un groupe
Faites de vos buts, leurs buts
Visez le même objectif
Pas de copies au carbone!
Pourquoi certains buts de groupe ne se réalisent pas
Le mot clé de la réalisation des buts - MAINTENANT!

L'usage adéquat de l'imagination créatrice
L'imagination nous devance pour préparer le chemin
Aucune invention ne s'est réalisée sans l'imagination créatrice
Les nombreux usages de l'imagination créatrice
Les sports et l'imagination créatrice
Tous n'ont pas le désir de gagner
L'imagination créatrice et l'esprit universel
Élargir nos options par l'imagination créatrice
L'imagination créatrice est-elle limitée à l'image?
L'imagination créatrice va au-delà de la rêvasserie
Se fixer des buts, c'est faire usage de l'imagination créatrice

Les barrières mentales sont-elles réelles?
Comment surmonter les barrières mentales
Un inventaire mental est de mise
L'âge n'est pas une barrière
La jeunesse n'est pas une barrière à la réalisation d'un but
Le but insolite de Jack La Lanne
Un écrivain trop jeune pour la retraite à 87 ans
L'incroyable carrière de grand-maman Moses
Certains buts semblent insensés pour les autres - Et puis après?
Le seul obstacle: vos barrières mentales

INTRODUCTION

Ce livre pourrait être le plus important que vous ayez jamais lu. Pourquoi? Parce que la vie est une série de buts et qu'il existe diverses techniques pour se fixer des buts et les réaliser. Des lois naturelles s'appliquent à ce domaine et nous devons les connaître et les mettre en pratique si nous voulons réussir constamment dans la poursuite de nos buts.

Chacun de nous se fixe des buts, consciemment ou inconsciemment. Mais, la plupart de nous travaillent dans l'ignorance. Nous nous demandons pourquoi nous atteignons certains buts et manquons les autres. Ce livre va vous aider à vous fixer des buts de façon sage et intelligente (des buts légitimes, réalistes, à votre portée). La réalisation de tels buts peut vous apporter de grandes satisfactions.

Certains buts représentent des objectifs majeurs, d'autres des objectifs mineurs. Tous ont leur importance car ils constituent la trame de notre vie. Les buts qu'on se fixe au jour le jour et aussi bien ceux qu'on se fixe d'heure en heure sont autant de pas qu'on exécute dans ce voyage à travers l'existence. Bien que se fixer des buts soit aussi naturel que de respirer, très peu de gens savent comment atteindre leurs buts. Plusieurs personnes, sans le savoir, s'établissent des buts négatifs et s'étonnent ensuite que leur vie soit remplie d'événements négatifs. D'où l'importance de connaître les pièges à éviter quand on se fixe des buts. Celui qui n'atteint aucun des buts qu'il se propose, c'est qu'il n'a pas su choisir des buts qui soient en accord avec sa vie ou bien qu'il nourrisse une mauvaise *attitude* à l'égard de ses buts.

Voici un livre très direct. Il attaque tout de suite le coeur du sujet: *comment se fixer des buts et les atteindre*. Ce sont là les activités les plus importantes dans la vie de chacun. Celui qui ne comprend pas la bonne façon de s'y prendre pour atteindre ses buts connaît le désappointement et la frustration. Celui qui, au contraire, réussit tout ce qu'il se propose, trouve à la fois santé, richesse et bonheur.

Se fixer des buts et les atteindre devient un art et une science quand on se rend compte que ces activités sont régies par des lois psychiques bien définies et non pas par la chance ou le hasard. Tout le monde devrait connaître ces lois et leur fonctionnement. Tous devraient être au courant des sanctions encourues par ceux qui font un mauvais usage de ces lois aussi bien que des récompenses qui abondent pour ceux qui en font un usage intelligent et raisonnable.

Cet ouvrage se propose de présenter différentes techniques qui ont fait leurs preuves et qui sont une application des lois de l'esprit relatives à la poursuite des buts. La signalisation des pièges est renforcie par des exemples et s'accompagne d'instructions pour les éviter.

Certaines personnes atteignent leurs buts en dépit de graves handicaps. À Jacksonville en Floride, une femme, sans pieds ni mains, s'est assurée un grand succès en peignant des cartes de souhaits: elle tient le pinceau entre ses dents. Elle avait un but et y croyait. Un coureur de fond, atteint de poliomyélite lors de son enfance au point qu'il pouvait à peine marcher et qui s'était mis à la course pour renforcir ses jambes, est devenu, par la suite, un champion. Il avait un but et y croyait. Démosthène, ce bègue de l'antiquité, voulait devenir orateur et s'exerçait avec des cailloux dans la bouche. Est-ce par chance qu'il est devenu un des plus grands orateurs de tous les temps? L'Histoire contient plus d'une biographie de philanthropes nés dans les taudis, élevés dans la pauvreté et qu'on retrouve plus tard en possession d'une grande fortune et distribuant des millions de dollars. Un homme, sans formation scolaire et privé d'un milieu favorable à l'étude, est parvenu malgré tout à un tel niveau d'instruction qu'à l'âge de 35 ans, il devenait chancelier d'une université très renommée. Pourquoi ces gens ont-ils eu du succès dans des conditions si défavorables alors que d'autres qui ont toutes les chances de leur côté aboutissent à un échec complet?

Le regretté Maxwell Maltz, éminent chirurgien esthétique de New York et auteur d'un ouvrage intitulé *Psychocybernetics* (Psycho-cybernétique), a découvert que celui qui améliore son apparence par la chirurgie esthétique tend à transformer sa personnalité pour qu'elle aille de pair avec son nouveau visage. Vous êtes bien en droit de vous demander pourquoi ces personnes n'ont pas réussi à changer leur personnalité avant la chirurgie esthétique. Il y a une raison, croyez-moi. Ce phénomène s'applique dans les deux sens.

Un médecin réputé, spécialiste en cancérologie, enseigne à ses patients à se représenter mentalement la partie cancéreuse complètement guérie. Il leur demande d'imaginer des cellules neuves remplaçant les vieilles cellules cancéreuses. Il les fait méditer tranquillement chaque jour sur la partie guérie et les aide à se débarrasser des troubles émotifs et des images mentales qui ont contribué à implanter la maladie. Ils développent de nouvelles attitudes qui engendrent la guérison. N'est-ce pas là une manière de se fixer un but? Cela réussit.

Un vendeur retournait à son bureau, jour après jour, sans avoir fait une seule vente. Il n'arrivait pas à comprendre comment ses collègues pouvaient rentrer avec cinq ou six commandes. Cela semblait injuste. Mais un jour, il découvrit le secret: une technique efficace pour se fixer des buts et les atteindre. Depuis lors, il bat la marche de semaine en semaine.

Je pourrais multiplier les exemples de gens qui ont transformé leur vie de façon spectaculaire à partir du jour où ils ont appris à se fixer des buts et à y croire.

Pourquoi certains y arrivent-ils et d'autres pas? Les premiers connaissent-ils quelque chose que les autres ignorent? Pourquoi certains atteignent-ils les sommets alors que d'autres n'arrivent pas à dépasser le premier relais? La réponse à toutes ces questions est ici, dans cet ouvrage. C'est un livre qui enseigne comment transformer sa vie d'une manière radicale en comprenant la façon de réaliser ses buts.

Bien entendu, ces techniques ne s'appliquent pas seulement à la vente. Elles peuvent embellir pour tout individu cette grande entreprise qu'est la vie. Nous n'arrêtons pas de nous fixer des buts. Pourquoi ne pas commencer à les atteindre? Rien ne pourra plus nous en empêcher quand nous saurons comment nous fixer des buts réalistes et légitimes et comment utiliser le pouvoir de la pensée pour les atteindre.

Jack Ensign Addington

Chapitre I
LA RÉALISATION D'UN BUT PARAÎT TENIR DE LA MAGIE MAIS IL N'EN EST RIEN.

Il existe un vieux dicton à savoir que: *L'homme cherche à satisfaire ses désirs avec le moins d'efforts possible.* Certains prétendent qu'il s'agit là d'une loi naturelle et que cette loi est à l'origine des efforts d'invention que l'homme fait, poussé qu'il est à chercher toujours des raccourcis dans tous les domaines et habité par le désir enfantin de voir tous ses souhaits se réaliser. Qui n'a pas désiré, une fois dans sa vie, avoir une lampe d'Aladin qu'il suffit de frotter pour voir immédiatement apparaître sous ses yeux l'objet de chacun de ses désirs?

Apparemment, il est dans la nature de l'homme de chercher des moyens apparentés à la magie pour accomplir les petites et les grandes tâches de l'existence. La vie, elle-même, semble tenir de la magie. Il nous est tous donné de constater qu'il existe des lois naturelles auxquelles il faut nous conformer pour obtenir des résultats magiques. La réalisation des buts apparaît comme le résultat de tels procédés magiques, mais nous savons bien que derrière ces apparences se cache une énergie opérante que nous pouvons utiliser à notre avantage, pour notre profit ou notre plaisir. Comment nous y prendre? Nous sommes sur le point de le découvrir.

Il existe un système qui fonctionne vraiment

Il y a quelques années alors que j'étais pasteur d'une grande église urbaine, ma femme et moi faisions face à un problème qui semblait tout à fait insurmontable. À cette époque, le nombre des ouailles augmentait très rapidement. Il nous fallait au moins vingt placeurs pour l'office du dimanche et il n'y avait qu'un seul homme qui semblait priser l'emploi. Il était probablement la dernière personne que nous aurions choisie pour être à l'accueil. Il accueillait chaque personne avec une tape dans le dos, parlait à tue-tête et insistait pour garder son chapeau pendant qu'il introduisait les gens. Il semblait avoir beaucoup d'amis parmi les fidèles, aussi hésitions-nous à faire quoi que ce soit qui aurait pu l'offenser. Il s'était octroyé l'emploi dès la fondation de la paroisse et il nous informait continuellement que personne d'autre ne voulait être placeur. Il était si tyrannique qu'il effrayait tout le monde, même nous.

Cela peut vous sembler sans importance aujourd'hui, mais à cette époque, cela nous paraissait une situation désespérée. Nous avons prié. Nous en avons discuté. Nous nous sentions tout à fait démunis.

En désespoir de cause, nous avons décidé de tenter quelque chose. Nous avons écrit une lettre à l'*Intelligence Universelle*. Nous avons écrit tous nos désirs et nos besoins relativement à un personnel de placeurs: un groupe de 20 placeurs qui arriveraient avant l'office pour méditer ensemble. Un groupe étroitement uni qui serait une réelle force dans l'église. On peut donner à un tel groupe le nom qu'on voudra, c'était un but. Après avoir décrit ce but en détail, nous avons rendu grâce comme s'il était déjà exaucé, nous avons plié la lettre et l'avons déposée dans un coffret à bijoux en maroquin. Connie et moi, nous nous sommes promis mutuellement que nous penserions à cette demande comme étant exaucée et que nous cesserions de nous inquiéter à ce sujet.

Quelques mois plus tard, nous avons eu l'occasion d'ouvrir le coffret en maroquin et d'y retrouver notre lettre adressée à l'*Intelligence Universelle*. Nous l'avons ouverte et lue à voix haute. Et, l'auriez-vous deviné? Notre but s'était réalisé! Nous avions alors plus de vingt hommes qui, non seulement faisaient un merveilleux travail d'accueil chaque dimanche matin, mais qui étaient le noyau d'une association masculine devenue depuis lors une véritable force dans l'église. Le *tapeur de dos* avait été offensé par les propos de quelqu'un et était parti ailleurs.

Nous avions pressenti une loi de l'esprit

Les mots *concevoir, croire, recevoir* sont inscrits sur le médaillon d'or porté par plusieurs étudiants de la fondation *Abundant Living* (Existence Comblée); ils sont la concision d'une loi très importante. Nous l'appelons la loi de la réalisation d'un but. En effet, c'est une loi de l'esprit: tout ce que vous pouvez concevoir, croire et attendre avec confiance, doit nécessairement devenir réalité dans votre existence. Vous voyez, quand nous avons pu exprimer notre besoin, et cesser d'y penser en tant que privation, tout est arrivé si facilement que nous avions même oublié avoir éprouvé un tel problème. Une fois notre but confié à l'*Intelligence Universelle*, notre attitude a changé et selon le procédé de créativité qui régit toute l'existence, notre but était atteint.

À partir de ce moment-là, nous avons inscrit nos buts et les avons déposés dans le coffret à bijoux en maroquin. À chaque fête de l'Action de Grâces, nous faisions une petite cérémonie qui consistait à ouvrir le coffret et lire nos buts. C'était vraiment passionnant. Sans exception, ils avaient été atteints. Il y avait dans le fait de rédiger nos buts sur papier quelque chose de libérateur. Quand nous les déposions dans le coffret *croyant qu'ils avaient déjà été accomplis,* ils se réalisaient. Cela remonte maintenant à vingt ans. Plusieurs lecteurs reconnaîtront nos buts, ayant vu chacun devenir réalité. Chacun de nos livres, maintenant plusieurs fois réédité, a été jadis un but dans le coffret à bijoux. Chaque fois que nous relisons nos anciens buts, nous sommes émerveillés de la précision avec laquelle ils ont été atteints. Il n'y a rien de superstitieux dans cela. C'est l'application d'une loi: *tout ce que vous pouvez concevoir, croire et attendre avec confiance doit nécessairement devenir réalité dans votre existence.*

Un sommaire de la théorie des buts

Les observations, les questions et les réponses qui suivent serviront de sommaire de la théorie pour fixer des buts et les atteindre. Le lecteur se rendra compte qu'il peut commencer dès maintenant à réussir dans la réalisation de ses buts, parce que les lois qui s'appliquent en ce domaine sont tout à fait concrètes.

Vous ne pouvez pas voyager dans deux directions à la fois

La simplicité d'intention est nécessaire au fonctionnement de la loi. On ne peut pas gager sur une alternative, se garder une porte de sortie. Voyez-vous, la plupart d'entre nous sont à cheval sur la clôture, un pied de chaque côté. Nous souhaitons croire que nos désirs seront exaucés, mais nous n'arrivons pas à le croire tout-à-fait. Nous nous gardons une porte de sortie en pensant: «Si je n'atteins pas mon but, je pourrai toujours me débrouiller autrement». C'est une façon de nous protéger contre tout désappointement possible. Ainsi nous planifions une échappatoire qui devient à toute fin pratique un deuxième but. Nous nous retrouvons regardant dans deux directions à la fois. Avez-vous déjà essayé d'aller dans deux directions à la fois? Ce n'est pas facile. Voici un passage de la Bible qui l'exprime clairement:

Mais qu'il demande avec foi, sans hésitation, car celui qui hésite ressemble au flot de la mer que le vent soulève et agite. Qu'il ne s'imagine pas, cet homme-là, recevoir quoi que ce soit du Seigneur: homme à l'âme partagée inconstant dans toutes ses voies.

(Jacques 1: 6-8)

Le chemin le plus court entre deux points est toujours la ligne droite. Évitez les détours inutiles dans vos pensées. Mon bon ami, le regretté docteur Frederick Bailes, employait l'expression *penser en ligne droite.* Donc, il nous faut porter une attention exempte de toute tergiversation à ce que nous voulons vraiment réaliser. La simple loi de cause à effet nous enseigne que *ce sur quoi nous portons notre attention doit un jour se manifester dans la réalité de notre existence.* Nous croyons-nous faibles et malades ou forts et en bonne santé? Nous percevons-nous comme étant malheureux, malchanceux et sujets à l'échec? C'est à nous d'imposer à notre esprit le genre de but que nous désirons vraiment voir se réaliser et de fixer notre attention sur ce but.

Le dictionnaire définit le mot but comme *une fin que l'on se propose d'atteindre.* Qu'on parle de buts ou d'objectifs, peu importe. C'est l'intention qui est ici l'élément essentiel.

Dix buts à la fois? Bien sûr!

Est-ce un gaspillage d'énergie que d'avoir dix buts à la fois?

Pas du tout! Emile Zola avait trois buts: planter un arbre, avoir un enfant et écrire un livre. Il les a atteints tous les trois et bien d'autres en surplus car ses buts n'étaient pas en conflit. Ce qu'il faut surveiller, c'est d'éviter de se fixer des buts qui entrent en conflit les uns avec les autres. Par exemple, on ne peut pas être marié et célibataire à la fois, bien que certains, de nos jours, en fassent la tentative. D'autres proclament qu'ils veulent être en bonne santé, alors que secrètement ils entretiennent le désir d'être malades pour attirer l'attention.

Nous devrions penser à nos buts comme étant déjà atteints

Est-ce à dire que nous ne devrions jamais repenser à nos buts?

Pas vraiment, vous pouvez y repenser mais à condition de les concevoir comme étant déjà atteints. Quand vous pensez à votre but comme étant déjà atteint, abandonnez-le au processus créatif de l'esprit. N'y mêlez pas d'inquiétude. Ne laissez jamais l'anxiété vous gagner. Ceci gênerait vos progrès. Il est important de faire confiance à l'*Intelligence Universelle* pour attirer tout ce qui est nécessaire à la manifestation de votre but.

Ne soulevez pas le couvercle, conservez la vapeur

Devrions-nous discuter de nos buts avec les autres?

Il est bon que vos buts personnels demeurent un secret entre vous et l'*Esprit Universel*. Votre foi et votre enthousiasme envers votre but dégagent une puissance. D'autres pourraient ne pas partager votre enthousiasme. Si vous discutez de vos buts avec d'autres, ils pourraient essayer de vous en détourner ou de vous en faire douter. Les associations de partage de buts et les couples travaillant à un but commun sont des exceptions. Ne soulevez pas le couvercle, conservez la vapeur!

L'importance d'écrire ses buts

Est-il obligatoire d'écrire vos buts sur une feuille de papier et de les ranger dans une boîte?

Non, mais à coup sûr ce procédé peut vous aider. Il met la touche finale à votre désir et vous apporte un sentiment de soulagement. Une fois votre but écrit, vous pouvez l'oublier. Quand vous aurez saisi avec quelle efficacité ce système fonctione, une nouvelle confiance s'établira.

Est-il mauvais de désirer des biens matériels?

Les désirs des biens matériels sont-il erronés?

Il est dit: *les pensées sont des choses.* Les biens matériels sont l'évidence extérieure d'un changement d'attitude. Aussi longtemps que vous n'essayez pas d'atteindre vos buts au détriment des autres, aussi longtemps que vos désirs ne nuisent à personne, je crois qu'il n'y a rien de mal à désirer des biens matériels.

Revendiquez votre but

Qu'entendez-vous par revendiquer votre but?

La vie ne considère pas la timidité comme étant une vertu. La vie vous appuiera en proportion de ce que vous lui revendiquerez. Revendiquer, signifie: réclamer en vertu d'autorité ou de droit. Si votre but est légitime et réaliste, vous devriez le revendiquer en ESPRIT comme s'il était un fait accompli. Ou vous revendiquez votre but ou vous y renoncez. Il n'y a pas d'autre alternative. Si vous le revendiquez, vous l'acceptez et le possédez en esprit. Si vous y renoncez, vous niez ou vous déclinez votre droit à ce but. La vie vous prendra à votre propre jeu, à votre propre évaluation.

Les grands réalisateurs savent se fixer des buts

Que dire des gens qui semblent réussir dans tout ce qu'ils entreprennent sans être conscients d'avoir des buts?

Lorsque nous entreprenons une affaire, nous nous fixons alors un but. Le désir d'accomplir quelque chose provoque dans l'esprit la conception d'un but. Lorsqu'un objectif est atteint c'est tout simplement que le fait de s'être fixé un but a porté ses fruits. Il y a des gens qui pensent de façon si ordonnée, qu'ils n'ont pas besoin d'écrire pour clarifier leurs pensées.

Chaque année fixez-vous de nouveaux objectifs

Pourquoi est-ce une bonne idée de se fixer de nouveaux objectifs au début d'une nouvelle année?

Lorsqu'une personne se fixe de nouveaux objectifs au début d'une année, elle peut alors vérifier ceux qui ont été atteints pendant l'année précédente.

Elle peut jeter un regard sur les objectifs qu'elle n'a pas atteints et se poser quelques questions à leur sujet.

Désirait-elle vraiment les atteindre? A-t-elle douté? Existait-il un motif erroné? Les objectifs étaient-ils réalistes? Il y a plusieurs raisons pour lesquelles les objectifs ne sont pas atteints et il est important qu'elle le comprenne si elle veut les réaliser. Le fait d'avoir une liste est un bon moyen de vérification qui lui permet d'évaluer sa façon de penser.

L'art de se fixer des buts peut transformer votre vie

Peut-on vraiment transformer sa vie en comprenant et en appliquant la théorie de la réalisation des buts?

Oui. Lorsqu'une personne connaît la façon de sélectionner ses buts avec sagesse, et comprend ce qui se produit dans l'esprit lors de la réalisation de ses buts, alors elle peut voir sa vie se tranformer du tout au tout. Elle peut devenir constructive et positive dans sa façon de penser et dans sa manière de travailler à la réalisation de ses buts. La capacité de se fixer des buts et de concentrer l'attention nécessaire à leur réalisation est un grand accomplissement, qui apporte à la fois un bonheur intense et la satisfaction profonde de sentir la maîtrise et le pouvoir intérieur que l'on possède. Bref, il est vrai que la santé, la richesse et le bonheur dans la vie de quiconque veut se donner la peine d'agir, proviennent de la réalisation des buts.

Chapitre II
UNE EXPÉRIENCE
QUI EN DIT LONG SUR LA
RÉALISATION DES BUTS

Il y a plusieurs années, je disais à ma femme: «Si seulement les gens savaient comment il est facile d'atteindre un but de la façon dont on s'y prend! Dommage que tout le monde ne connaisse pas notre secret!»

Alors elle m'a répondu: «Pourquoi ne pas leur révéler notre secret?» Plus j'y pensais, plus je trouvais qu'elle avait raison.

Noël 1974 semblait être le temps propice pour partager cette idée avec mes lecteurs et avec mes auditeurs à la radio. Quel plus beau cadeau pouvais-je leur offrir? Un cadeau qui pouvait être utilisé dès lors lorsque le besoin s'en faisait sentir - en réalité, un cadeau perpétuel!

Nous avions découvert que chaque fois que nous écrivions nos buts et que nous les mettions dans le coffret en maroquin, *en croyant ferme qu'ils se matérialiseraient pour nous,* ils devenaient, sans exception, une réalité dans notre existence.

Si ce système fonctionnait si bien pour nous, pourquoi ne serait-ce pas un avantage pour tout le monde? Il n'y avait rien de superstitieux là-dessous, il ne s'agissait que de *placer une commande* à la Vie et de laisser la Loi de la Vie s'en charger. Il était évident que notre coffret en maroquin, débordant déjà de nos buts familiaux, devenait trop petit pour contenir des milliers de formulaires d'objectifs. C'est pourquoi nous avons fait l'acquisition d'un grand *coffre aux trésors*, trouvé dans un magasin de jouets pour accueillir les demandes de notre grande famille.

La réalisation des buts sur une plus grande échelle

C'est en goûtant qu'on juge une recette et l'expérience qui suit le démontre bien.

Nous avons mis en circulation 12 000 formulaires en demandant aux gens d'y inscrire leurs objectifs et de nous les retourner. Nous leur avions promis de leur retourner leurs formulaires à la prochaine fête de l'Action de Grâces afin qu'ils constatent eux-mêmes les résultats. L'idée s'est propagée. Plusieurs milliers de feuillets nous sont revenus. Tout en les plaçant dans le *coffre aux trésors,* nous les abandonnions au pouvoir de l'*Esprit Universel,* sans les lire évidemment. Nous considérons les buts des gens comme étant quelque chose de très personnel. Et nous leur écrivions de nouveau pour les mettre en garde: «Rappelez-vous, leur disions-nous, qu'après avoir rédigé vos buts et nous les avoir postés vous ne devez plus vous en préoccuper. Vous vous en détachez complètement. Si vous êtes tenté d'y penser, imaginez-les comme déjà accompli. Ne limitez pas vos buts. Ils peuvent avoir trait à la santé, le bonheur, la prospérité, l'harmonie dans votre foyer, la sagesse, une ligne de conduite ou quoi que ce soit. Rien n'est trop beau pour vous.»

Manifestement, le système fonctionne

Bien avant le jour de l'Action de Grâces, nous avons reçu des rapports nous informant que les buts avaient déjà été atteints. Plusieurs avaient complètement libéré leurs buts si bien qu'ils en avaient oublié leurs demandes! Conséquemment, lorsque nous leur avons retourné les formulaires à l'Action de Grâces, et ce fut toute une corvée, nous avons reçu des centaines de lettres où les gens avouaient ne pas s'être aperçus avant ce jour que leurs buts s'étaient effectivement réalisés de façon étonnante.

N'acceptez la défaite sous aucun prétexte

J'aimerais tant vous faire connaître tous les comptes rendus qui nous sont parvenus. Ce serait tout un recueil d'histoires des plus intéressantes. Par exemple, ce couple de San Jose, Californie, qui nous écrit:

Nous sommes tellement emballés! Parmi les buts que nous vous avions envoyés en novembre, plusieurs déjà se réalisent. Nous avions demandé, entre autres choses, de trouver un emplacement pour notre usine de briques et pour l'élevage d'animaux. Nous avions aussi demandé une maison avec quatre chambres et une serre. Eh bien! c'est exactement ce que nous avons trouvé. Une ferme de 25 hectares dans les collines de San Juan, avec un puits fournissant assez d'eau pour tout ce que nous voulons faire. Nous avons aussi trouvé une maison avec quatre chambres et une serre dans la grande cour arrière que nous désirions tant pour les enfants.

Votre programme: une aide précieuse

Du Texas, un autre témoignage:

Désolé de n'avoir pas écrit avant pour vous dire que tous mes besoins pour l'année 1974 ont été satisfaits. Votre technique d'objectifs a été pour moi une aide précieuse.

Il découvre que toutes les phases de la vie s'améliorent

J'apprécie les déclarations de cette personne:

Sous tous les rapports, ma vie se transforme pour le mieux. Que d'améliorations dans certains domaines. Simplement fantastique!

Dans le domaine des relations humaines, les choses ont été au pire pendant un certain temps. J'ai dû faire des efforts inouïs pour vivre en harmonie avec les autres. Cela fonctionne; bien entendu, quand on y met du sien. Et il m'a fallu m'améliorer afin de pouvoir demeurer dans ma classe des Beaux Arts, que j'adore. Mes progrès dans le domaine artistique sont un décollage à la verticale. Je constate, comme d'autres d'ailleurs, une amélioration étonnante de mes tableaux. On m'a fait des offres à deux occasions et aujourd'hui un homme m'a acheté deux tableaux. Mes buts se sont réalisés.

Ses buts se sont réalisés de façon parfaite

Une femme de Berkeley en Californie m'écrit:

Tant de belles choses sont arrivées! J'ai eu une promotion et deux augmentations de salaire. Mon travail est fantastique! Je suis surprise d'apprendre que la majorité des gens n'aime pas leur travail. Heureusement, là où je travaille les gens sont heureux. C'est pourquoi l'ambiance est si agréable malgré le décor du bureau qui est tout à fait dans le style fonctionnaire.

Et elle ajoute: *Je grandis, je m'élève et je m'épanouis. Merci beaucoup!*

L'usine invisible de la vie

Voici une femme qui possède une boîte pour ses buts qui lui permet de les abandonner à la vie:

*J'ai fabriqué ma **boîte à buts** et j'y ai déposé mes buts le mois dernier. Certains sont déjà réalisés. Mon mari l'utilise aussi maintenant.*

*J'ai déjà entendu un sermon intitulé: Le ciel, usine invisible de la vie. J'ai placé ma boîte à buts dans notre chambre à coucher et chaque fois que je pense aux buts que j'y ai déposés ou lorsque mes yeux se posent sur la boîte, je pense en moi-même: Bon! ces buts se concrétisent tous de façon parfaite à l'**usine** en ce moment.*

Certains buts se réalisent rapidement, d'autres plus lentement

Il y a des buts qui s'atteignent très rapidement tandis que d'autres demandent plus de temps pour prendre forme. Voici la découverte d'une femme de l'Oregon:

Lorsque vous avez demandé à connaître nos réels désirs en promettant de nous retourner notre formulaire à la fin de l'année pour voir si nos buts s'étaient concrétisés, je vous ai fait parvenir quatre buts. Eh bien! deux de ces buts sont déjà atteints.

33

Imaginez le produit fini
et il se matérialisera

Même les enfants découvrent le principe qui s'applique à la réalisation des buts. Une grand-mère de Lakewood, Colorado, m'écrit:

Nous avons eu un très bel été. Mes petits-enfants se sont rencontrés une fois par semaine pour écouter les cassettes: THE PERFECT POWER WITHIN YOU (Vous Détenez le Pouvoir Absolu) et par la suite, ils en discutaient. Un des petits, il a 11 ans, a une telle foi; il nous ravit.

Nous étions tous très heureux quand son plus grand désir s'est réalisé le jour de son anniversaire. Il joue de la guitare, mais il voulait une batterie. Étant donné la situation financière de ses parents, personne ne voyait où il pourrait trouver $200 ou $300 pour acheter cette batterie, mais ceci ne l'a pas arrêté. Il disait: **«Imaginez le produit fini et il se matérialisera.»**

Une semaine avant sa fête, son père qui est musicien en a parlé à quelques membres de son orchestre. Un vieil ami qui avait dû abandonner la batterie pour raison de santé lui a vendu une batterie complète de professionnel pour $100. Le rêve du jeune était réalisé.

C'est comme retenir sa tasse pour la faire remplir

Tous et chacun de nous peuvent tirer une leçon de cette histoire. Quelques fois, même avant sa manifestation physique, nous savons que notre but est en voie de se réaliser:

Tant de choses sont arrivées que je ne peux pas vous les raconter toutes. J'avais l'habitude d'être déprimée périodi-

quement. *Ces dépressions sont disparues. Oh, j'ai des* **périodes creuses** *de temps en temps, quand l'enthousiasme et l'inspiration baissent. Pendant ces moments, je me rappelle cette parole: «Le désir au fond du coeur, c'est Dieu qui frappe à la porte du conscient avec ses largesses infinies». Si le désir est là, on peut avoir la certitude qu'il est réalisable. Les périodes creuses durent quelques heures, tout au plus. J'ai découvert que la dépression était la foi dans la mauvaise direction - l'incapacité d'atteindre un but.*

Je SAIS que mes buts sont déjà atteints et que leur matérialisation est proche. Comme il est vrai de dire qu'il suffit de nous transformer nous-mêmes!

Tous les jours, je demande d'être guidée. C'est comme tenir sa tasse pour la faire remplir. Il est très surprenant de voir à quel point nous sommes guidés et combien d'idées nouvelles nous viennent quand nous en faisons la demande.

Quelques temps après, je recevais une autre lettre de cette jeune femme:

Je voulais vous écrire, mais j'étais très prise par tous les changements qui se produisent dans ma vie. Premièrement, j'exerce maintenant le travail idéal que je désirais depuis longtemps. Il répond à toutes les spécifications que j'avais notées dans ma liste de buts:

Travailler dans l'édition (comme je le désirais depuis longtemps).

Près de la maison (dix minutes, en comparaison des aller et retour d'une heure que j'ai faits durant des années).

Un horaire flexible (pour l'instant, j'ai choisi de travailler vingt heures par semaine).

Un bon salaire! (Je gagne autant pour mes vingt heures que je gagnais pour quarante heures).

Enrichissement personnel (j'apprends du nouveau chaque jour).

Cet horaire me permet de passer plus de temps avec ma famille, ce qui était aussi un de mes buts.

Tout cela me semble miraculeux. Vraiment, tout vient à point à qui sait attendre, **dans la foi.**

Des rêves qui se réalisent de façon merveilleuse

Nous sommes vraiment heureux d'être impliqués dans l'histoire qui suit:

Mon désir le plus cher et mon but de l'année dernière sont devenus une réalité. J'ai épousé un homme merveilleux le 21 mars. Parfois, quand nos prières sont exaucées, au-delà de toute attente, nous sommes littéralement renversés. Du moins, je l'ai été. J'avais spécifié: «Nous saurons nous reconnaître, quand nous nous rencontrerons». Nous nous sommes rencontrés lors d'une soirée de danse de l'Âge d'Or, le 14 février.

Quand il m'a aperçue, il a dit à sa gouvernante, qu'il avait amenée à la soirée: «Je vais l'épouser». Une semaine plus tard, il faisait sa demande et nous nous sommes mariés le 21 mars. Tout est merveilleux. Il a 73 ans et j'en ai 60, bien jeunes tous les deux.

Amour - Réussite en affaires - Nouvelle maison - autant de buts atteints

De l'amour, de la réussite en affaires, une nouvelle maison? Peu importe.

Si vous pouvez croire sincèrement en vos buts et si vous êtes capable d'en attendre la réalisation en toute confiance, vous les atteindrez tout comme le prouve cette lettre.

Une dame de Bellingham, Washington, m'écrit:

Je vis, heureuse, dans un condominium, situé dans un domaine de 16 500 mètres carrés, après avoir vécu pendant 15 ans dans ma maison de sept pièces que j'ai vendue dernièrement. Cette transaction, avec tout ce qu'elle comporte, a été effectuée de façon parfaite. Réaliser cette transaction était un de mes buts pour cette année, j'y suis parvenue plus vite que prévu.

De Chicago, une lettre pleine d'enthousiasme:

J'ai la grande joie de vous annoncer que je travaille maintenant à plein temps. Après vous avoir écrit, j'ai rencontré un ami qui m'a servi d'intermédiaire en m'aidant à trouver ce travail à plein temps. J'occupe un poste que j'aime beaucoup. C'est même mieux que je ne me l'étais imaginé. Je suis si reconnaissant que j'ai de la difficulté à me contenir. Tout s'est réalisé: l'endroit, l'atmosphère, le salaire, le bonus et le travail, tout est idéal pour moi.

Voici un correspondant qui sait mettre son esprit en quête d'un but:

Il devient évident que cette technique de se *FIXER DES BUTS EST D'UNE ÉTONNANTE EFFICACITÉ*. En 1974, je m'étais fixé comme but d'acheter une nouvelle maison. *JE L'AI.*

En 1975, je me suis fixé deux buts:

1. De gagner $2 000 par mois ou plus.

2. De trouver un bon mari à ma fille Melody qui est belle et qui est âgée de 25 ans.

MIRACLE DE MIRACLE! LES DEUX BUTS SE SONT RÉALISÉS. Melody est fiancée à un millionnaire dans la trentaine, un bel homme de 1 mètre 83. Il a gagné $1 500 000 en une année, il est prêtre mormon, golfeur médiocre, homme merveilleux et gentil. Ma fille et lui s'aiment intensément. Le mariage est fixé au 2 avril; il aura probablement lieu à la maison, sur la terrasse.

J'ai gagné plus de $25 000 cette année, c'est-à-dire plus de $2 000 par mois. Bien sûr, ce ne sont pas $2 000 d'intérêts que j'ai touchés; j'ai dû travailler! L'année prochaine s'annonce déjà meilleure.

Et enfin, cette lettre de Chicago:

Il m'a fait plaisir de recevoir le formulaire de buts que je vous avais envoyé. Je désire vous informer que 7 des 12 buts ont été atteints. J'ai négligé de travailler aux cinq autres. Toutefois, les plus importants sont parmi ceux que l'on pourrait qualifier de **mission accomplie.**

L'année 1976 aura été riche en événements. Une année dont notre famille se souviendra longtemps. En plus des interventions chirurgicales, d'un mariage et d'accomplissements dans le domaine du travail, j'ai acquis des nouvelles connaissances qui se sont avérées très utiles *dans mon travail. Un ami a obtenu la promotion qui lui revenait de droit; ma fille, qui avait été victime d'un accident au Mexique, a reçu une grosse indemnisation et ce, sans procès, et de plus, ma cadette a été heureuse de recevoir une bague de fiançailles à Noël.*

C'est le coeur plein de gratitude que je commence la nouvelle année.

Il est difficile de savoir où s'arrêter. Chaque lettre est un regard dans la vie de quelqu'un. Une vie enrichie grâce au système des buts. Les lettres que j'ai postées et qui me sont revenues ont été le plus beau cadeau de Noël 1974 que j'aie pu leur offrir. Ce système a créé un précédent. Depuis lors, nous renouvelons l'expérience chaque année et plus la confiance grandit, plus les récits sont intéressants et plus nombreux les buts atteints.

Chapitre III

VOTRE ESPRIT EST UNE USINE

On dit que les deux plus grandes découvertes de l'homme sont le feu et la roue. Il est vrai que ces deux découvertes ont ouvert le chemin à la civilisation de l'homme.

La plus grande découverte des temps modernes a été la science de l'esprit et son utilisation. Ce n'est qu'au XIXe siècle qu'on a commencé à définir les fonctions nettement différenciées du conscient et du subconscient.

Ce ne sont pas là deux esprits séparés mais plutôt l'activité de l'esprit universel individualisé en chacun de nous.

Le subconscient travaille pour nous, pendant notre sommeil

Le subconscient travaille pour nous de façon surprenante, presque incroyable. Voici une histoire de famille qui illustre bien ce que je veux dire. Nous vivons à une époque du *faites-le-vous-même*. Si nous voulons qu'un travail soit accompli, à moins que le travail ne soit très payant, personne ne veut s'en charger. C'est à vous de trouver un moyen de vous débrouiller.

Voici l'anecdote dont je veux me servir à titre d'exemple: Nous avions acheté un climatiseur. Comme nous demeurons à l'étage supérieur d'un condominium, il devait être installé sur le toit au-dessus de la porte d'entrée. Ce n'était pas très esthétique; nous nous sommes dits qu'il devait sûrement exister un moyen de le dissimuler. Ma femme qui a déjà été décoratrice d'intérieur s'est attaquée au problème. Après quelques jours de réflexion, elle a ébauché l'esquisse d'un écran de bois qui devait masquer le climatiseur. Elle pensait que nous pouvions tout simplement acheter un peu plus d'un mètre de matériaux pour clôture et les faire installer. Ce n'était malheureusement pas aussi simple. Nous avons demandé à un entrepreneur de nous faire un estimé pour ce travail. Après avoir calculé le coût pour les matériaux, la main-d'oeuvre, la peinture, les assurances, etc..., le tout revenait aussi dispendieux que d'installer un autre climatiseur - $259 pour un peu plus d'un mètre de clôture. Nous y avons tant réfléchi que nous avions l'impression d'avoir déjà terminé le travail.

«Pourquoi ne pas le faire nous-mêmes? Ce serait facile.» Après avoir acheté pour $26 de matériaux, nous nous félicitions de notre ingéniosité jusqu'à ce que je me réveille une nuit en me demandant comment j'allais monter des madriers de 100 x 100 mm par 1,83 m sur le toit. J'avais pensé installer une corde autour des madriers et de les monter sur le toit, mais il n'y avait pas moyen de les maintenir en place. Comme ma femme m'avait déjà informé qu'elle ne me serait d'aucune utilité sur le toit puisqu'elle n'avait pas l'intention d'y monter, je l'ai alors réveillée pour lui exposer le problème.

«Voilà justement une question pour mon subconscient», me dit-elle avant de se rendormir. Comme de fait, à six heures le lendemain, elle avait la réponse. «Elle m'est venue en m'éveillant, criait-elle triomphalement. J'ai vu une table avec une grande variété de poulies, des poulies de toutes les grandeurs et de toutes les couleurs. Tout ce dont nous avons besoin, c'est une grande corde et une de ces poulies que j'ai vues sur la table! Tu vas y arriver! Je peux tenir la corde d'en bas!»

Cette idée venait sans aucun doute du subconscient Universel parce que ma femme n'avait jamais entendu parler de poulies. C'était vraiment fascinant et, bien entendu, c'était la réponse parfaite. Nous avons acheté une poulie à $1.89 et nous avons hissé les madriers sans difficulté sur le toit. Nous avons maintenant l'écran que nous voulions masquant le climatiseur et nous sommes très satisfaits de l'*avoir fait nous-mêmes*.

Nous avons demandé maintes et maintes fois à notre subconscient de travailler pour nous pendant notre sommeil: pour trouver la maison ou l'automobile de nos rêves, la bonne réponse à plusieurs problèmes. Cela fonctionne à tout coup. Essayez-le. Tous nos besoins dans la vie sont une invitation à nous fixer un but et à laisser le subconscient travailler pour nous, à travers nous.

Le fait de se fixer un but crée un moule canalisant l'énergie vitale. Nous vivons dans un vaste océan d'esprit, une substance malléable, de laquelle toute création provient. Sir Arthur Eddington le qualifiait de *choses de l'esprit*. Cette substance fluide est prête à couler dans vos moules mentaux pour les remplir, comme les flots de la mer se précipitent pour remplir les moindres petites dépressions sur la grève. Quand nous avons de petits buts, nous présentons un petit moule à remplir. Nos grands buts développent de grands moules à être remplis de choses de l'esprit.

Voyons comment l'esprit fonctionne

Chacun de nous, selon son niveau de sensibilisation, individualise et utilise la pensée unique. Nous n'en sommes pas séparés. Nous ne faisons qu'un avec elle. La pensée unique que nous utilisons tous a été composée à une grande source souterraine prête à jaillir en surface à la moindre crevasse. Quand nous pensons, nous utilisons la pensée unique selon nos coordonnées personnelles d'expression.

Le cerveau est l'instrument de l'esprit. De lui-même, il ne pense pas. Tout comme votre téléviseur n'est pas la source d'origine de ses émissions, l'esprit se concrétise par l'intermédiaire du cerveau qui agit comme un appareil récepteur.

Les fonctions de l'esprit conscient et subconscient ont été comparées, par les psychologues, à un iceberg. La plus grande partie de l'iceberg est sous l'eau. Un neuvième seulement de sa masse émerge. Cette partie visible se compare à l'esprit conscient, cette minime partie dont nous avons connaissance. Mais le plus gros de l'activité est caché sous la surface. On l'appelle parfois, l'esprit subconscient.

Le conscient dirige, choisit, analyse, prévoit, imagine et raisonne de façon inductive et déductive. Le subconscient est *assujetti* au conscient. Il raisonne par déduction, se servant des prémisses que le conscient lui a fournies. Peu lui importe la nature de ces prémisses. Le subconscient peut se comparer à une usine. L'usine ne remet pas en question la qualité des plans fournis par les concepteurs; elle réalise les plans qu'on lui donne. De la même façon, le subconscient ne se soucie pas de la nature des buts que vous lui proposez. Il s'affaire à la réalisation de projets négatifs aussi bien que de projets positifs, exécutant vos ordres avec précision.

Parce que vous faites partie de l'esprit universel, vous avez à votre disposition les ressources de l'Infini. Personne n'a mieux exprimé cette idée que Ralph Waldo Emerson dans son essai sur l'Histoire:

Il y a un esprit commun à tous les individus. Chaque homme* est une voie d'accès à une réalité commune et à la totalité de cette réalité. Celui qui, une fois, a obtenu droit de citer au pays de la raison est un libre citoyen dans tout le territoire. Ce que Platon a pensé, il peut le penser; ce qu'un saint a ressenti, il peut le ressentir; tout homme peut comprendre ce qui l'a fait trébucher à l'occasion. Celui qui a accès à cet esprit universel est participant à tout ce qui existe ou à tout ce qui peut se faire.

Chacun s'approche de l'esprit universel sous l'angle particulier de sa conscience individuelle. Chacun est une voie d'accès débouchant sur le tout. L'homme (la femme) est le seul être capable de diriger consciemment son activité subconsciente, en toute lucidité. Lui seul est conscient du fait que s'il conçoit une idée et la confie à son subconscient, l'idée ainsi semée va émerger dans le réel comme l'expression concrète ou l'extériorisation de la conception initiale. C'est ce que l'on appelle le processus créatif: *du monde invisible de l'esprit à l'expression concrète extérieure.* La loi de la vie attire tout ce qui est nécessaire au parachèvement de votre rêve. Je ne sais pas comment le subconscient y parvient. Tout ce que je sais, c'est qu'il y parvient. Ceci fait partie du mystère de la création.

*Le mot homme est employé dans le sens général, il inclut le sexe féminin.

45

Quelques fois nous avons à convaincre le subconscient que nous sommes sérieux.

Si vous ordonnez à votre subconscient de faire demi-tour et de changer de direction, il se peut que vous ayez à lui répéter cet ordre pour le convaincre que vous voulez vraiment ce que vous demandez. Voici un exemple à l'appui de cette idée:

Une de mes auditrices m'avait entendu traiter le sujet: comment arrêter de fumer. Elle avait fait venir l'article: *OUI, VOUS POUVEZ ARRÊTER DE FUMER!* que j'offrais lors de mon émission radiophonique. Dans cet article, j'expliquais qu'il était impératif de donner des ordres positifs et non négatifs à notre subconscient. C'est ce qu'elle a fait. Chaque fois qu'elle allumait une cigarette, elle se disait: «Je suis libérée de l'habitude de fumer». Elle riait intérieurement de s'entendre répéter ainsi tant de fois: «Je suis libérée de l'habitude de fumer». Or, un jour, elle a sorti une cigarette, elle a tapé le bout contre son paquet, elle l'a portée à ses lèvres, l'a allumée. Puis elle a déposé sa cigarette allumée dans le cendrier. Elle *était* libérée. Elle n'a jamais fumé depuis. Le subconscient avait suivi le programme qu'elle lui avait si fidèlement dicté et l'avait libérée d'une habitude encombrante.

L'habitude de fumer et les buts.

Supposons que votre but soit d'arrêter de fumer. Comment devez-vous procéder?

Revenons à l'image que vous avez de vous-même. Quelle est cette image à laquelle vous vous identifiez? Celle d'un fumeur? Alors, vous vous dites et redites: «Je suis un fumeur». Mais si vous voulez cesser de fumer, vous devez donner de nouvelles directives à votre subconscient, un ordre positif, pour changer l'image que vous avez de vous-même. Vous devez penser intérieurement: «Je suis un non-fumeur.» Imaginez-vous disant à vos amis qui vous offrent une cigarette: «Non merci, je ne fume pas.»

Peu importe que vous continuiez à fumer, persistez à vous identifier à l'idée: «Je suis un non-fumeur.» Et cela jusqu'au jour où vous deviendrez cette image idéale de vous-même. *Vous serez alors un non-fumeur.*

Le docteur S.I. Hayakawa dans un article intitulé: *Comment arrêter de fumer* raconte comment il a utilisé cette approche positive. Pendant des semaines, il s'est répété: «Je suis un non-fumeur.» Il raconte qu'il lui a fallu six semaines pour changer son image de fumeur en celle d'un non-fumeur. Au bout de cette période, il s'est soudainement rendu compte que le changement était accompli et qu'il était effectivement devenu un non-fumeur. Il n'a jamais fumé par la suite. Graver dans sa conscience ce changement de perception était le but que le Dr Hayakawa s'était fixé.

Où cela se passe-t-il?

Où les buts sont-ils établis et réalisés?

Dans la pensée de la personne qui se fixe des buts et les atteint. Quand vous changez votre façon de penser, vous transformez la réalité de votre vie. Les habitudes ne proviennent pas de l'*extérieur,* mais de l'*intérieur.*

Choisir ses buts

Comment le conscient sait-il quelles directives donner au subconscient?

Le conscient a la capacité de choisir. Il peut utiliser tous ses pouvoirs mentaux de recherche, d'analyse, il peut étudier, soupeser les faits pour déterminer le but à se fixer. Lorsque le choix est fait, le subconscient l'accepte comme une directive. L'efficacité que le subconscient démontrera dépend de l'intensité émotive que vous y mettez, de l'intensité de votre désir, de votre degré de perception et enfin de la ténacité et de la persévérance du conscient. Cela ne signifie pas qu'il faille contraindre les événements mentalement. Nous ne parlons pas de volonté. Le vrai rôle de la volonté est de garder notre attention fixée sur notre objectif.

Auto direction et buts

Comment se fait-il que l'on puisse transformer sa vie en changeant ses pensées?

C'est possible en appliquant la loi de l'auto direction. Chacun de nous peut diriger son conscient de telle manière qu'il donne des ordre à son subconscient. Notre subconscient reçoit les ordres de notre conscient et les exécute avec précision et exactitude. Ainsi quand vous vous fixez un but, vous orientez votre conscient et cette orientation devient un ordre pour votre subconscient. C'est pourquoi l'orientation que vous donnez à votre pensée consciente devient la loi de votre vie.

Les buts et le travail acharné

Voici une question qui m'a été posée dans une lettre que j'ai reçue:

Je me fixe des buts, je les poursuis avec acharnement et je ne les atteins pas. Alors arrive quelqu'un qui se fixe des buts plus élevés que les miens, qui travaille moins que moi et les atteint facilement. Qu'est-ce qui ne va pas?

Travailler ardument est très relatif. Il y a des gens qui travaillent dur et qui ne savent pas diriger leurs énergies. D'autres, canalisent leurs énergies avec plus de facilité dans la bonne direction et atteignent ainsi leurs buts plus facilement. Quand un golfeur frappe un beau coup, sa balle s'envole à perte de vue. Cela paraît facile parce que la coordination de ses mouvements est parfaite. L'autre qui a perdu momentanément sa coordination de mouvements donnera l'impression que tout ce qu'il fait est épuisant et ardu. Notre premier but devrait être d'en arriver à travailler avec facilité, dans la bonne direction et avec une parfaite coordination dans le temps. Ce qui revient à dire qu'il faut bannir de l'action, l'effort épuisant et forcé et toute précipitation. Il n'est de gracieux que ce qui coule avec la vie et notre travail devrait être gracieux.

La clé d'une productivité exceptionnelle est le terme *laisser*. Fixez votre but et *laissez* la créativité, l'énergie et l'intelligence de la vie couler à travers vous pour amener votre but à sa réalisation. Ceci ne veut pas dire de vous asseoir et de ne plus rien faire, mais de vous diriger vers votre but de façon décontractée et parfaitement harmonieuse.

Fixer des buts et les atteindre, plus qu'une mécanique.

Est-ce qu'atteindre un but est une chose strictement mécanique?

Non, ce que l'on ressent joue un rôle très important dans l'accomplissement d'un but.

L'extrait suivant de *Feeling is the secret* (Ressentir est le secret) par Neville démontre l'importance du sentiment dans l'accomplissement d'un but:

Le subconscient n'est pas le point d'origine des idées mais il accepte les idées que le conscient considère comme vraies et, d'une manière que lui seul connaît, il transforme en objectifs ces idées. Ainsi, par son pouvoir d'imaginer et de ressentir, par sa liberté de choisir les idées qu'il entretient, l'homme exerce sa maîtrise sur la création. La maîtrise du subconscient s'accomplit à travers la maîtrise de vos idées et de vos sentiments.

Le mécanisme de la créativité se cache au plus profond du subconscient, comme en un sein maternel et fécond. Le subconscient transcende la raison et est indépendant de l'induction. Il considère un sentiment comme un fait existant en lui-même et sur cette base, il entreprend de l'exprimer. Le processus créatif débute par une idée, il fait son chemin sous la forme d'un sentiment et il se termine en une volonté d'action.

Les idées sont gravées dans le subconscient par le médium du sentiment. Aucune idée ne peut se graver dans le subconscient si elle n'est pas ressentie; mais une fois ressentie, qu'elle soit bonne, mauvaise ou indifférente, elle s'exprimera nécessairement. Le sentiment est le seul et unique médium à travers lequel les idées sont acheminées au subconscient.

Chapitre IV
TOUT ÊTRE HUMAIN PEUT CHOISIR

Ce pouvoir de choisir, permet à l'homme de penser comme un ange ou un démon, comme un roi ou un esclave. Quoiqu'il choisisse, son esprit va le créer, pour ensuite en assurer la manifestation, écrit Frederick Bailes.

Oui, en vous, présentement, se trouve ce miraculeux pouvoir de choisir, pouvoir qui vous permet de refaire votre monde, votre vie, vos affaires. Vous pouvez rester stationnaire ou évoluer.

Il n'y a aucune limite fixée par l'Esprit Infini. L'homme peut aller aussi loin qu'il le désire ou s'immobiliser. Il est responsable de choisir sa destination et le seul facteur de ses limitations, c'est l'homme lui-même. S'il continue à trembler, assis au froid, pleurant et geignant, c'est son droit d'autonomie. Mais il peut se ressaisir et s'acheminer vers le chaud reflet du feu éternel et entrer dans une vie qui contient tous les éléments du bonheur. Les autres peuvent l'aider mais lui seul peut agir, même Dieu ne peut le faire à sa place. C'est son travail à lui et à lui seul. Pendant son voyage à la découverte de lui-même, il est le seul maître à bord et l'unique responsable quand il s'agit de se rendre à bon port.

La responsabilité de l'homme est donc de choisir sa destination, l'Infini lui fournit la force motrice pour se rendre à bon port.

Voici ce que dit Norman Vincent Peale au sujet du pouvoir de choisir:

Le plus grand pouvoir que nous ayons est le pouvoir de choisir. C'est maintenant un fait connu que l'on peut sortir de la tristesse où l'on s'est complu et choisir, au contraire, d'être joyeux puis faire les efforts nécessaires pour arriver jusqu'à cette joie. Si vous avez tendance à être tourmenté vous pouvez surmonter cette tendance et choisir d'avoir du courage. Même dans le chagrin le plus profond, vous avez la possibilité de choisir.

Le cours et la qualité de votre vie sont déterminés à long terme par les choix que vous faites.

Comment choisir votre nouvelle vie

Que vous en soyez conscient ou non, vous vivez aujourd'hui vos choix d'hier. Votre avenir dépend de vos choix d'aujourd'hui.

Choisir est l'activité primordiale de votre esprit. Le jour où nous apprenons à faire, avec facilité et en toute confiance, des choix clairs, nous commençons à maîtriser notre vie. Tout choix est comme une croisée des chemins. Quelle direction vais-je prendre? Chaque décision est un choix.

Chaque fois que vous faites un choix, vous mettez en marche le Pouvoir Parfait de l'univers, pour que ce choix prenne forme et se manifeste dans votre existence. Un choix est une directive pour votre subconscient individuel qui ne fait qu'un avec le *Subconscient Infini* que *Gustaf Stromberg* a qualifié de l'*Âme de l'Univers*. Là se trouve le *Pouvoir*. Le subconscient est comme le serviteur empressé qui ne demande jamais pourquoi, qui ne remet pas vos choix en question mais qui exécute, avec une précision infaillible, les ordres que vous lui donnez. Choisissez ce que vous voulez vraiment car vous l'obtiendrez sûrement. Choisissez bien vos pensées parce que chacune d'elles est une semence que l'on plante dans le sol fécond de la vie.

Seul l'homme a reçu le pouvoir de choisir consciemment. Seul l'homme est cocréateur avec Dieu. Ce privilège n'est pas sans responsabilité.

Vous devez faire vos propres choix. Votre bonheur en dépend. Vous êtes une personne unique. Vous seul connaissez vos besoins. Ne laissez personne d'autre faire vos choix, ce pourrait être désastreux. Le *Pouvoir Parfait* qui est en vous sait ce qui est bon pour vous et vous inspirera les meilleurs choix.

C'est ce que l'on appelle se fier à son intuition.

Un de mes amis avait de la difficulté à prendre des décisions. Je le sais parce qu'il avait essayé à maintes reprises de m'en faire prendre à sa place. D'où mon étonnement quand j'ai constaté qu'il avait grandement changé. Il est devenu confiant et décisif. Je n'ai pu m'empêcher de lui demander la cause de ce changement. C'est en riant qu'il me dit: «J'ai lu ton livre sur l'auto direction. J'ai découvert que je possède à l'intérieur de moi-même le pouvoir de faire des choix. Le Maître qui est en moi me guide quand je le lui demande. Tu sais, quiconque fait confiance au Maître qui est en lui peut en faire autant. Je demande puis j'écoute et *quelque chose* me dit ce qu'il faut faire.»

Vous devez faire vos propres choix

Prenez garde! Ne demandez pas aux autres de choisir pour vous. Vous abandonneriez alors votre liberté de choix, ce cadeau de Dieu. Vous devez commencer à utiliser cette liberté même si vous faites des erreurs. Il faut du courage pour être libre. Plus vous faites de choix de façon autonome, plus vous êtes fort. Si quelqu'un d'autre fait vos choix, c'est son inspiration et non la vôtre et une partie de votre pouvoir se perd.

Vos choix deviennent vos buts

Nos choix quotidiens sont très importants parce qu'ils donnent forme à nos buts. Chaque choix est en soi un but.

Aussi, quand vous avez un désir, analysez-le et demandez-vous: «Est-ce vraiment ce que je choisis pour moi-même?». Si votre désir correspond à ce que vous voulez vraiment, si c'est bon pour vous, et si vous êtes capable de l'accepter, il n'y a aucune raison pour que vous ne l'obteniez pas.

Comment analyser vos désirs

Il y a quatre questions qu'il faut se poser:

1. Cela existe-t-il?
2. Puis-je m'imaginer en possession de cela?
3. Est-ce bon pour moi?
4. Puis-je l'accepter?

Est-ce que vous pouvez honnêtement répondre *oui* à chacune de ces quatre questions? Alors, votre désir peut avantageusement devenir un but pour vous. *Cela existe-t-il?*

Supposons que votre but soit de posséder une grosse somme d'argent. Vous savez qu'elle existe. *Puis-je m'imaginer en possession de cela?* Vous pouvez vous imaginer qu'elle vous appartient. Mais quand on arrive à la question trois, peut-être vous sentiriez-vous coupable de posséder tant d'argent. Il se peut que vous pensiez que la seule façon pour vous d'avoir tant d'argent serait de le voler ou encore de l'extorquer à quelqu'un par quelque astuce légale. Vous craignez peut-être que le fait d'avoir tant d'argent n'entraîne des responsabilités dont vous ne voulez pas vous charger. Peut-être voudrait-on vous épouser pour votre argent. Si vous ne pouvez répondre *oui* à la question trois: *Est-ce bon pour moi?*, arrêtez car il est évident que vous ne pourrez répondre affirmativement à la suivante: *Puis-je l'accepter?*

Je connais un homme qui est désespérément amoureux d'une certaine femme. Cette femme existe vraiment et elle existe pour lui, mais il y a un obstacle. Elle est mariée à son meilleur ami. Il sent que ce serait moralement mauvais de l'enlever à son mari. Son désir s'arrête là. Dans les circonstances, ce serait un but voué à l'échec.

Et que dire de ce jeune golfeur émérite qui désirait plus que tout devenir un champion du circuit des golfeurs professionnels? Il a dépensé beaucoup d'argent, de temps et d'efforts pour devenir pro. Il s'est qualifié et s'est joint au circuit. À son deuxième tournoi, il a gagné un prix pour une 8e place. Mais après trois tournois, il a réalisé que ce n'était pas ce qu'il voulait. Il a découvert qu'il devait choisir entre le circuit et sa famille. Au cours de l'année, il serait éloigné des siens durant quarante semaines. Il a choisi d'abandonner sa carrière et d'accepter un poste de professeur.

En répondant aux quatre questions, il faut aussi considérer les responsabilités qu'impliquent nos désirs. Il se peut que cela comporte des inconvénients. Donc, demandez-vous: «En faisant de mon désir un but, suis-je prêt à accepter toutes les responsabilités et les inconvénients que cela comporte?»

Parfois nos choix nous amènent à travailler fort

Il serait idéal de s'imaginer qu'une fois nos buts rédigés et placés dans le *coffre aux trésors,* qu'ils vont se manifester miraculeusement au moment voulu, sans effort de notre part. C'est pourtant faux! La vie travaille par nous, pour nous. Il faut suivre le cheminement logique; parfois, il faut travailler avec ardeur.

Ma femme et moi partageons nos buts. Un de nos buts est d'écrire un livre par année. Nous travaillons harmonieusement ensemble, mais nous travaillons fort. Il faut des semaines, des mois, parfois des années pour finir un livre. Ça semble très facile quand il est terminé et imprimé. Le livre, une fois publié, ne laisse aucunement voir les nombreuses reprises de corrections, de ratures dont chaque page a été l'objet. Et c'est bien ainsi. Le fait demeure que la rédaction d'un livre demande des heures de concentration. Pour nous, le jeu en vaut la chandelle.

Un athlète sait que pour gagner, il faut qu'il pratique tous les jours. Pendant des jeux olympiques, je pensais, en voyant les nageurs, aux nombreuses longueurs de piscine qu'ils avaient parcourues avant la finale. Des années d'entraînement.

«C'est la perspective de la victoire et le consentement à faire tous les sacrifices requis qui font les champions olympiques», ont déclaré trois médaillés d'or aux jeux de 1976.

«*Trouvez un rêve et ne le perdez plus de vue*», dit Jennifer Chandler, 17 ans, médaillée d'or au plongeon. «*Si vous tenez à gagner, vous devez être prêt à sacrifier des choses que vous aimez. Cela peut signifier dire adieu à un garçon que l'on aime. C'est ce qui m'est arrivé il y a environ deux ans. Je ne me concentrais pas assez sur le plongeon. J'ai dû faire un choix.*»

Jennifer a choisi de se dédier à un programme d'entraînement rigoureux, sacrifiant les sorties, les rendez-vous et d'autres joies de l'adolescence.

Est-ce que tous les sacrifices que fait un champion olympique en valent la peine?

«*Oui, mille fois*», s'exclame Mat Vogel, 19 ans, médaillé d'or au 100 mètres papillon. Vogel s'est entraîné en moyenne quatre heures par jour pendant les mois précédant les olympiades. Et il ajoute: «*Si vous voulez participer aux olympiades, vous devez être un rêveur. Ayez un but à long terme, travaillez-y, tout en restant réaliste. Pour éviter que la frustration ne vous gagne, faites un pas à la fois. On ne devient pas champion olympique du jour au lendemain. Apprenez les éléments de base, maîtrisez-les, puis passez à l'étape suivante. Vous devez être prêt à donner tout ce qu'il faut pour atteindre le but.*»

Il y a quatre ans, Mat avait dû se contenter d'une médaille d'argent et c'est à ce moment-là qu'il a compris que «*les gagnants sont des gens qui se comprennent eux-mêmes, qui savent ce qui les motive et ce qu'ils veulent atteindre. C'est l'idée de la réussite qui m'a fait continuer. Les athlètes doivent le comprendre. Vous devez avoir un rêve et être prêt à fournir l'effort nécessaire pour l'atteindre.*»

Le chanteur, le pianiste, le danseur, l'acrobate, connaissent bien ces vérités. Le jeu en vaut la chandelle. Demandez-vous donc: «Suis-je prêt à *accepter* tout ce qu'implique le choix de mon but?»

Qui choisit vos buts?
Qui est votre référence secrète?

Est-ce que vous choisissez vous-même vos buts? Représentent-ils vos désirs réels? Si quelqu'un d'autre choisit vos buts, si vous essayez de plaire à un ami ou à un parent dans la sélection de vos buts, il peut arriver que vous ne vouliez pas les accepter et, bien entendu, vous ne les atteindrez pas.

Beaucoup de gens sont inconsciemment influencés par une personnalité dominante, quelqu'un à qui ils veulent plaire ou encore une personne dont l'opinion est très importante pour eux. Ils examinent tout ce qu'ils font ou pensent ou disent à travers les yeux de cette autre personne. Cette autre personnalité devient la personne à qui ils s'identifient quand vient le temps de prendre une décision. «Mon choix plaira-t-il à...?» «...approuvera-t-il mes buts?» etc. Les enfants, souvent pour plaire à leurs parents, à un frère ou une soeur, sont aptes à avoir une *référence secrète*. Quelquefois, le mari et la femme voient les choses à travers les yeux du conjoint. Plusieurs personnes, émotivement immatures, ne dépassent jamais le stade de cette *référence secrète*. Il est important pour nous tous d'examiner nos buts en nous demandant: Les choisissons-nous pour nous ou voulons-nous plaire à quelqu'un d'autre?

Les associations de mari et femme, ou toute autre association en vue d'un même but sont possibles et supposent qu'on s'entend sur des buts communs. De tels accords sont clairs et ne sont pas des cas de *référence secrète*.

Souvent nos désirs enfantins deviennent des buts à long terme

Un enfant de dix ans peut aspirer à devenir médecin. Il répétera et répétera: «Je serai médecin». S'il y croit et qu'il ne change pas son but, il va s'identifier avec son objectif et il va commencer à recevoir des pensées conscientes qui correspondent à son but à long terme. Tout ce qu'il fait va contribuer à son but et éventuellement, il deviendra médecin.

Tous les petits garçons, à un moment donné, ont voulu être policier ou pompier. Souvent ces désirs fantaisistes ne s'établissent pas dans notre esprit comme but. Pourtant il peut arriver que de tels désirs deviennent des buts qui s'imprègnent dans notre subconscient. Lors de ma dernière année de droit, il y avait un élève brillant qui, à ma grande surprise, le jour de la collation des diplômes nous a annoncé qu'il venait d'accepter un poste de patrouilleur avec la police de Los Angeles.

«Pourquoi tous ces efforts pour devenir avocat?» Voici ce qu'il m'a répondu: «Aussi loin que ma mémoire puisse remonter, j'ai toujours voulu être policier. J'ai essayé d'oublier cette idée, mais c'est toujours resté dans mon esprit. Maintenant, je me sens bien. Je vais finalement faire ce que j'ai toujours rêvé de faire».

Non seulement il abandonnait une carrière juridique mais un salaire qui était le double de celui d'un policier. Ça ne faisait plus de différence. Son but à long terme l'habitait depuis trop longtemps.

J'adore cette bande dessinée de Benjy et Christopher, où Benjy, un vagabond, assis sur un banc du parc, parle au petit Christopher qui vient apparemment d'une famille très aisée:

«Que veux-tu devenir plus tard Christopher?»

«Je ne sais pas, Benjy.»

«Et bien, réplique Benjy, il faut se fixer des buts et planifier.»

«Ça alors!», s'exclame Christopher.

«Quand j'avais ton âge, je *SAVAIS* déjà que je voulais être un clochard.»

Parfois votre but peut être de demeurer stationnaire

Les gens sont portés à croire que tout doit être en perpétuel changement. Cette idée part du critère qu'il en faut plus, encore plus et toujours plus. Il est difficile pour la plupart d'entre nous de croire qu'une personne puisse être satisfaite de ce qu'elle accomplit.

Le chanteur Johnny Mathis a énoncé à propos des buts:

«Il y a cinq ans, j'ai brusquement réalisé que je n'avais pas de but. Et c'était bien ainsi. C'est encore bien. Je ne veux pas faire de vaudeville, tourner de films ou rien de ce genre en particulier. J'ai décidé que ce que je voulais faire c'était ce que je faisais déjà, tout en essayant de m'améliorer constamment. À 45 ans, quand ma voix aura atteint sa pleine

maturité, j'aurai peut-être appris ce qui se passe vraiment sur une scène.»

En fait, Johnny Mathis avait un but. Ce qu'il dit c'est qu'il a droit de choisir lui-même ses buts et que ceux-ci ne correspondent pas nécessairement à ce que les autres attendent. Faire ce que vous aimez tout en vous améliorant est un but tout à fait légitime.

Les choix négatifs peuvent travailler contre vous

Est-il possible de faire des choix négatifs sans s'en rendre compte?

Oui. Beaucoup de gens vivent aujourd'hui les choix négatifs qu'ils ont entretenus sans s'en rendre compte.

Par exemple, Job, ce vieux personnage biblique. Tout allait selon ses désirs, puis tout à coup, son univers s'effondre. Il perd tout, sa famille, ses richesses, ses enfants. Il se retrouve finalement assis sur un tas de cendres et grattant ses plaies avec un tesson de poterie. Que lui est-il arrivé? Job répond lui-même lorsqu'il dit: «Toutes mes craintes se réalisent et ce que je redoute, m'arrive.» (Job 3:25)

Beaucoup de gens aujourd'hui s'attirent: accidents, pertes, maladies, échecs et autres situations indésirables parce qu'à travers la peur, ils accordent une attention indue à tous ces malheurs. *Ce à quoi vous accordez votre attention se réalisera,* c'est la loi. C'est la façon qu'a votre esprit de manifester dans le visible, ce qui s'est créé dans l'invisible.

Il y a de ces gens qui plus que d'autres semblent attirer le malheur dans leur vie. Ils sont enclins à voir des accidents. Des médecins vous diront qu'ils ont une prédisposition aux accidents. Pourquoi s'attirent-ils tous ces malheurs? Pour diverses raisons. Pour les uns, ce sera un moyen d'attirer l'attention et la sympathie; pour les autres, ce sont leurs peurs qui se réalisent. Leur grande préoccupation des accidents fera qu'ils seront au bon endroit, au bon moment pour en subir un. Cet exemple démontre bien que des gens font à leur insu des choix négatifs.

Croyez-le ou non, il y a aussi ceux qui désirent la mort. Et ils seraient bien les derniers à le reconnaître. Pourquoi? On veut mourir pour plusieurs raisons. Soit qu'on ait peur de la vie, soit qu'on entretienne des inquiétudes morbides au sujet de la mort, soit qu'on veuille échapper aux responsabilités ou que l'on veuille s'évader. Ce choix négatif n'est pas bien saisi même par la personne qui l'entretient. Et puisqu'on parle de choix négatifs, n'oublions pas de mentionner le désir de l'échec. Il y a ceux qui répètent souvent: «Je n'ai jamais rien réussi dans tout ce que j'ai entrepris», éventuellement cela devient une vérité. Ils sont obligés de courir à l'échec pour démontrer la vérité de leurs paroles. Pour d'autres, l'échec est plus facile que le succès, il comporte moins de responsabilités.

Le subconscient peut être un ami ou un ennemi

Ne sous-estimez pas le pouvoir du subconscient. Mais d'autre part, ne le craignez pas. Si vous vous êtes reconnu dans les exemples précédents, ne vous sentez pas pris au piège. Le subconscient peut être votre plus grand allié quand vous comprenez la façon de le diriger.

PRÉCISE

Qui n'a pas des intentions nettes
Est semblable aux marionnettes
C'est un fantôme qui bat l'air
Et ne poursuit que des chimères!

Pour bâtir ta maison, il faut
Un plan complet et sans défaut,
Précisant la structure entière:
Modèle, dimensions, matière.

Tu sauras l'exacte mesure
Du moindre clou, d'une penture,
Et, du minuscule à l'énorme,
Tout sur papier prendra sa forme.

Telle est, pour toi qui édifies
Ou ta maison ou bien ta vie,
La loi en formule concise,
Choisis bien ton but et PRÉCISE!

(Frederick L. Holmes)

Chapitre V

SE FIXER DES BUTS PEUT DEVENIR UN JEU ET RENDRE LA VIE AGRÉABLE

Pour bien des gens se fixer un but est un devoir contraignant et austère. Comme ils ne s'attendent pas à réaliser leurs buts de toute façon, alors ils sont frustrés dès le départ.

Se fixer des buts peut être très plaisant. Pourquoi en serait-il autrement? Le seul fait de dresser une liste de vos buts les fait entrer du même coup dans le processus de réalisation. C'est comme planter une graine. Vos buts sont ainsi semés dans votre esprit et la vie met tout en oeuvre pour favoriser leur croissance.

Est-il nécessaire de dresser une liste?

La liste est importante pour diverses raisons. Elle nous aide à consolider nos idées pour que nous n'allions pas dans deux directions à la fois. Elle renforcit nos désirs et clarifie nos choix pour que nous puissions donner des ordres précis à notre subconscient. Mais, plus encore, elle est un merveilleux instrument de gradation de nos succès et nous permet de voir comment la méthode fonctionne *pour ceux qui croient en leurs buts, qui mentalement les acceptent comme étant déjà réalisés et qui en toute confiance s'attendent à les considérer comme révolus.*

Nous sommes tous habités par des désirs et des rêves que nous avons hâte de réaliser. L'ambition de réussir fait partie des structures de notre être. Il est possible d'atteindre tout but positif. Mais le fait de garder un dossier des buts réalisés nous aide à bâtir notre confiance.

Dans le passé, nous avons pu avoir l'impression que les années se sont succédées sans que nous n'ayons rien accompli de remarquable. Dans la réalité, nous avons accompli plus que nous ne le croyons, mais n'ayant aucun moyen de mesurer nos réalisations, nous n'étions pas conscients des progrès réalisés. La liste de buts est cet instrument de mesure qui permet de jauger nos succès.

Il y a plusieurs sortes de buts

Quand nous parlons de buts, nous parlons de tout un éventail de situations, de circonstances, d'idées et de conditions. Si on veut vivre une vie prospère, remplie, ordonnée et heureuse, on doit se fixer des buts réalistes et utiliser les ressources de notre esprit pour les atteindre.

Que vous ayez ou non, en ce moment, l'habitude de vous fixer des buts, il y a des choses que vous pouvez apprendre au sujet de cette activité mentale aussi nécessaire que bénéfique. Puisqu'une bonne partie de nos buts s'inscrit en nous automatiquement sans même que nous en ayons conscience, il est important de comprendre ce que nous faisons et de trouver la façon la plus efficace de se fixer des buts. Jetons un regard sur les différentes catégories de buts qui tissent la trame de notre vie.

Les buts à long terme

Plusieurs de nos buts sont des buts à long terme. Il se peut qu'ils ne se matérialisent pas tout de suite. Il s'est écoulé treize ans entre la conception de mon premier livre et sa publication. Il y a des semences qui prennent plus de temps que d'autres à germer. Il y a des buts qui ne se manifestent qu'après plusieurs années. D'autres prennent forme si vite qu'on a peine à le croire.

Nous ne devrions pas nous presser de rayer nos buts à long terme. Le temps est la mesure humaine de l'éternité. Nos buts à long terme germent peut-être productivement dans le sol invisible de notre esprit. Ce n'est pas parce que nous ne les voyons pas se réaliser qu'il faut se décourager et les mettre de côté. Il faut beaucoup de patience et parfois le sens de l'humour pour atteindre un but à long terme. Il faut aussi de l'ingéniosité pour le reconnaître quand il se manifeste. Un but à long terme est comme un long voyage; chaque pas nous conduit au suivant. Il y a quelquefois des détours. Pourtant chaque étape est importante et nécessaire pour arriver au résultat final. Attention au découragement en cours de route si vous ne reconnaissez pas les signes avant-coureurs de la destination finale.

Marier deux buts l'un à l'autre

J'ai récemment lu dans le journal l'histoire d'un homme qui avait atteint deux buts à long terme:

«Je ne regrette pas d'avoir quitté mon grand bureau de Wall Street pour m'installer à San Diego comme menuisier», *déclare Steve Penner, 35 ans.*

«Je ne le regrette pas parce que j'ai atteint un des deux objectifs de ma carrière.» Penner ne souligne pas le fait qu'il n'est pas un menuisier ordinaire. «Mon premier objectif était de réussir comme agent de change à New York.

«J'ai donc quitté Houston, Texas, et je suis allé à New York, où je suis effectivement devenu agent de change. J'étais vice-président d'une maison de change très connue à Wall Street, lorsqu'il y a trois ans, j'ai décidé de m'établir à San Diego. Je voulais un travail plus tranquille, une vie différente. J'avais fait partie de la Marine à San Diego.»

Penner avait acheté une vieille maison à Pacific Beach et une autre à Coronado. Après les avoir restaurées, il les a vendues en réalisant un profit considérable. Puis il en a restauré trois autres pour des amis de San Diego. «Par les temps qui courent, la restauration coûte cher et prend beaucoup de temps», dit Penner.

L'ex-agent de change est donc passé à la construction de maisons sur commande qu'il vend à des gens soucieux de leur environnement. Il en parle comme s'il enfonçait chaque clou avec un soin jaloux.

«Je construis seulement deux maisons par année et je ne voudrais jamais en bâtir davantage. Je veux que mes maisons soient luxueuses et se marient avec l'environnement. C'est là mon goût profond. C'est vraiment ce qui s'impose, parce que l'environnement ici est tellement merveilleux.»

La première maison sur commande de Penner, à La Jolla, s'est vendue $165 000. Il termine, en ce moment, sa deuxième maison à Point Loma, et le prix est fixé à $215 000.

«J'ai trois menuisiers qui exécutent les travaux exactement comme je l'entends et je travaille tout bonnement avec eux, explique Penner. J'ai appris la menuiserie en observant les travailleurs pendant la restauration de mes vieilles maisons.»

Plusieurs buts à long terme
sont compatibles

Tous les buts ne font pas nécessairement référence à la profession. Cette histoire ne parle pas de tous les autres buts que Penner a pu avoir. Peut-être avait-il pour but d'apprendre une langue étrangère ou d'être un bon joueur de tennis. Ou encore, de trouver la femme de sa vie, d'avoir un mariage réussi. Vous pouvez avoir plusieurs buts en même temps, en autant qu'ils soient compatibles.

Relier des buts à long terme
afin d'atteindre un objectif majeur

Voici un exemple qui illustre bien comment on peut se fixer une série de buts pour réaliser une autre série de buts.

Pendant la Deuxième Guerre mondiale alors que j'étais dans les assurances, j'ai rencontré Wade Harrison, un Anglais, qui était devenu invalide durant son service dans l'Armée britannique. Incapable de retourner au combat, il s'était affilié à la compagnie Lloyd's de Londres. On lui avait offert la gérance d'une maison de courtage à Mexico, mais pour être éligible, il devait apprendre l'espagnol et acquérir la compétence nécessaire à la direction et à l'administration d'une succursale de courtage. Afin d'établir de bons rapports, il devait aussi apprendre les coutumes des gens du pays, leurs façons de voir, et mieux connaître leur personnalité. Pour réaliser ces buts, reliés les uns aux autres, il séjourna à Los Angeles et s'est affilié avec ma compagnie, l'Agence générale Victor Montgomery, qui avait des liens avec la Lloyd's de Londres. Son but prioritaire était d'établir un bureau de courtage à Mexico. Les qualifications demandées par sa compagnie devenaient des buts secondaires reliés au premier.

Wade s'est mis à prendre, chaque jour, des leçons d'espagnol avec un bon professeur et tous les soirs, il allait voir un film espagnol sous-titré en anglais. Il s'est lié d'amitié avec plusieurs familles de langue espagnole et a été reçu à maintes reprises dans leur foyer. Il a fait connaissance du consul mexicain et de sa famille. Il a établi plusieurs contacts intéressants, susceptibles de l'aider dans son nouveau milieu. Nous étions pleins d'admiration pour Wade qui apprenait, à un rythme incroyable, tous les détails du bon fonctionnement d'une agence de courtage. En moins de quatre mois, il avait toute la compétence nécessaire pour être un chef de file en son domaine et il est parti pour Mexico où il a fondé une agence de courtage des plus florissantes pour la Lloyd's de Londres.

Voilà un bon exemple de ces buts reliés les uns aux autres et qui permettent d'atteindre un objectif majeur.

Parfois atteindre un but requiert un effort plus grand que celui que nous sommes disposés à fournir

Steve Penner était prêt à travailler comme apprenti-menuisier pour apprendre à construire et à rénover une maison. Il a travaillé dur et il a eu la récompense de ses efforts quand est venu le moment de retirer un profit considérable sur les maisons qu'il avait restaurées.

Wade Harrison était prêt à suivre un cours intensif de courtage et d'espagnol. Il travaillait au bureau et tous ses moments libres étaient consacrés à faire des choses qui le rapprochaient de ses buts. Beaucoup de personnes n'auraient pas consenti à investir tant d'efforts et de temps pour atteindre ces buts. Plusieurs, n'ayant pas la motivation de Wade, auraient pris des années pour atteindre le but final. Tout a un prix, surtout nos buts. Donc quand nous avons des buts à long terme, il faut se demander: «*Suis-je prêt à payer le prix? Suis-je prêt à travailler et à franchir les étapes comme elles se présentent en cours de route?*»

Buts à court terme -
buts quotidiens -
buts aide-mémoire

Nous avons vu qu'il y avait des buts à long terme dont on peut s'attendre à ce que la réalisation demande plusieurs années. Qu'advient-il des buts à court terme dont nous prévoyons la réalisation de semaine en semaine ou encore des buts pour la journée ou pour l'heure qui vient? Il faut une discipline constante avec les buts à court terme.

J'appelle mes buts quotidiens mes buts aide-mémoire parce que je les écris et les affiche au babillard et je les raye à mesure qu'ils sont atteints. Je constate qu'une fois affichés au babillard, mes buts ont une façon particulière de se réaliser. Si je me contente de les garder en tête je suis porté à m'en inquiéter et ils demeurent longtemps à l'état de soucis. Je conseille à quiconque veut atteindre un certain standard d'efficacité et d'ordre, d'établir des listes quotidiennes. Tous les jours écrivez six des buts les plus importants à accomplir ce jour-là, numérotez-les par ordre d'importance. Commencez par le numéro un et passez au travers de la liste. Je veux dire: faites *tout* ce qui est possible pour faire avancer chacun de ces buts. Il se peut que vous ne réussissiez pas à tout faire en une journée. Recommencez votre liste le lendemain en incluant les buts qui n'ont pas été atteints la veille et numérotez-les à nouveau par ordre d'importance. Travaillez sur chaque but selon son ordre d'importance. Rayez-le quand il est accompli. De cette façon le numéro six peut devenir le numéro un en importance, mais respectez toujours les priorités établies.

Je viens de vous présenter une idée qui a coûté $24 000 à Charles M. Schwab, le magnat de l'acier. Un jour qu'il demandait à Ivy Lee, s'il avait de nouvelles idées à lui soumettre, ce dernier lui a révélé le système des six priorités de la journée. Schwab en a fait part à son personnel. Plus tard, il envoya $25 000 à Lee pour son idée. Ce système vaudrait aujourd'hui $250 000 si on tient compte de l'inflation.

La ténacité rapporte

Quand vous travaillez un but à court terme, ne vous laissez pas distraire. Nous avons tous tendance à refréner notre progression dans la réalisation d'un projet. Nous sommes tellement habitués à nous trouver des excuses que nous les utilisons automatiquement pour retarder notre action quand il s'agit de poursuivre des buts. «Je n'ai pas le temps», «Je suis trop fatigué», «Je m'en occuperai plus tard». Voilà quelques excuses parmi tant d'autres que notre esprit fertile nous cuisine à l'occasion.

Il est très facile de se laisser prendre dans un dédale de distractions extérieures. Si vous connaissez des interruptions (et il y en aura), retournez à votre projet le plus tôt possible. La ténacité rapporte. Il n'est pas nécessaire de se débattre ni de pousser, avancez tranquillement, en toute confiance, en faisant tout ce que vous pouvez pour accomplir votre but cette journée-là. Ne soyez pas une victime trop facile de ces interruptions, analysez-les, voyez si elles sont nécessaires ou si elles sont simplement la manifestation d'un vieux schème d'échec. Éliminez les interruptions inutiles. Soyez flexible. Soyez prêt à modifier vos buts si vous découvrez que vous pouvez les améliorer. Il existe un mot savant pour désigner l'habitude de remettre au lendemain, c'est procrastination. *Pro* (en latin) signifie *pour* et *crastinus: demain.*

Subordonner les petits objectifs de tous les jours à des objectifs majeurs

> *Par grandes mesures, c'est dur,*
> *Par petits pas, tout va!*

Je ne sais pas qui a écrit cela, mais c'est vrai!

Nos buts à long terme ne vont pas tomber du ciel comme des météorites. Habituellement, ils vous demandent beaucoup de discipline et de travail. Si vous pensez accomplir vos buts à long terme tout d'un coup vous allez vous sentir écrasé. Laotze disait: «*Un voyage de mille kilomètres commence par* **un** *simple pas*». C'est pas à pas et jour après jour que nous cheminons vers nos buts éloignés.

Si votre but est d'arrêter de fumer, soyez un non-fumeur un jour à la fois. Les *Alcooliques Anonymes* préconisent cette méthode. Une approche graduelle peut être aussi efficace pour perdre une habitude que pour atteindre un but. Petit à petit votre but s'accomplit. C'est pièce par pièce que l'on crochète un afghan avant de le rassembler. Tout comme on construit une autoroute, tronçon par tronçon. On aurait tendance à croire qu'ils n'en finiront jamais et pourtant, un jour, ils rassemblent les parties et le projet est complété.

Les buts de chaque instant

Est-il raisonnable de se fixer des buts de chaque instant? N'est-ce pas trop diviser notre programme en fragments?

Non, je crois que ces buts de chaque instant sont les plus importants. Si nous pouvons maîtriser des petites choses, nous pouvons en maîtriser de plus grandes. Si vous pouvez atteindre des buts de chaque instant, vous êtes en voie de devenir quelqu'un qui atteint ses buts de façon régulière.

Quand vous montez dans votre automobile le matin, dites: «Je vais conduire prudemment, selon la loi, pour arriver à destination au bon moment». Voilà une séquence de buts de chaque instant.

Juste avant d'entrer dans le bureau où vous avez rendez-vous, dites-vous: «Je vais être bien reçu; je vais atteindre mon objectif». Cet objectif peut être de faire conclure une vente, d'avoir un curage dentaire, de discuter d'une situation avec votre avocat. Peu importe l'objectif, convainquez-vous que le *résultat* sera positif.

Supposons que vous travailliez dans une usine. Vous voyagez en métro. En quittant la maison, dites-vous mentalement: «Aujourd'hui est un jour de chance. Je vais voyager en toute sécurité jusqu'à mon travail.» En arrivant au travail, dites-vous: «Tout ce que j'aurai à faire aujourd'hui je le ferai facilement, avec certitude et en parfaite harmonie avec mon entourage.»

Si vous êtes étudiant, en vous rendant à l'école, dites-vous: «Je suis en harmonie avec mon entourage. Je ferai ce qui doit être fait au bon moment et de la bonne façon. Tout ce que je dois savoir, je le saurai en temps voulu».

Cela vous donne-t-il une idée de ce que nous entendons par des buts de chaque instant?

Au début, vous aurez conscience d'avoir à prendre des décisions ayant trait à vos buts. Mais après quelques semaines où vous aurez dirigé consciemment votre esprit, vous allez toujours vous attendre à ce que tout s'arrange; vous n'allez vous attendre qu'à de bonnes choses et à ce que les gens réagissent de la bonne façon à vos démarches.

Tout le monde devrait se fixer des buts

La technique des buts vaut-elle pour tout le monde ou seulement pour les hommes d'affaires?

Se fixer des buts a longtemps été l'apanage des vendeurs, d'où l'habitude d'associer cette idée avec le monde des affaires. Ceci est très malheureux parce que tout le monde peut profiter d'un tel programme. Faire une tapisserie est en soi un but; faire une robe; nettoyer la maison; tous les travaux ménagers sont des buts. Se fixer des buts est aussi efficace pour la femme d'affaires que pour la ménagère. C'est une méthode qui aide la personne affairée à accomplir davantage avec moins d'efforts et qui rend plus productive la personne moins occupée.

Les listes de buts permettent plus de temps libre. On a tendance à répartir inutilement les corvées sur plusieurs heures. Par exemple, une femme prend toute une journée pour nettoyer la maison. Elle peut changer cette pratique en se fixant des buts en terme de durée. Quand on y met moins de temps, le travail devient plus intéressant. Il devient un défi, une bataille à gagner. Il s'ensuit qu'il nous reste plus de temps à consacrer à des activités créatrices.

Se fixer des buts,
c'est respecter les priorités

Se fixer des buts est une approche méthodique pour en arriver à vivre pleinement. Ce n'est pas une approche matérialiste. C'est mettre de l'ordre dans notre vie et dans nos affaires. C'est une méthode pour faire passer les choses les plus importantes en premier. C'est l'application du bon sens. C'est donner un sens à sa vie.

Si vous voulez aller de San Francisco à New York, vous ne tirez pas à pile ou face pour choisir la direction à prendre. Vous partez pour New York et vous gardez toujours ce but en tête. Sinon vous pourriez vous retrouver à Miami.

Que vos buts soient tangibles ou non, ne fait aucune différence. Si vous visez à atteindre une meilleure compréhension spirituelle, vous pouvez l'atteindre étape par étape. De la même manière, vous pouvez acquérir une plus grande compréhension des autres, une plus grande capacité d'aimer et même trouver le bonheur en vous fixant des buts.

Peine et misère ne sont pas
nécessaires pour atteindre un but

Aussi étrange que cela puisse paraître, il y a des gens qui craignent de se fixer des buts. Voici un extrait d'une lettre qu'une femme du New Jersey m'écrivait:

Quand je fixe des buts qui vont apporter de la joie et de la satisfaction dans ma vie, je sens qu'atteindre ces buts, signifie que je vais d'abord vivre une situation pénible, telle une maladie, une perte financière ou la perte d'une personne que j'aime. J'ai dû déchirer ma liste de buts parce que j'avais peur de devoir payer par quelque chose de mauvais pour les bonnes choses que je demandais.

Cette lettre démontre la manie qu'ont beaucoup de gens de se sous-estimer. Cette femme ne se sent vraiment pas digne d'accepter qu'il lui arrive du bon. La vie n'a pas de préférés, quiconque joue le jeu selon les règles peut gagner. Possiblement, cette femme a connu une expérience négative qu'elle a reliée à un but qu'elle s'était fixée. Elle doit se défaire de cette pensée, ou elle continuera à gérer sa vie, puisque ce que l'on croit, finit immanquablement par arriver.

Une autre fausse idée que se font les gens, c'est que pour réussir, il faut ruiner quelqu'un ou dépouiller quelqu'un de ses biens. Cette fausse conception engendre un sentiment de culpabilité par rapport au succès. Cette femme éprouve vraisemblablement un sentiment de culpabilité qui l'empêche d'accepter vraiment les buts qu'elle se propose. Ce qu'il lui faut, c'est de s'affirmer au lieu de se condamner. C'est se convaincre qu'elle a de l'importance dans la vie et qu'elle mérite les plus hautes gratifications.

Il y a aussi cette vieille superstition qui nous fait croire que si l'on est heureux aujourd'hui on sera malheureux demain. Il y a des gens qui, par crainte de faire entrer le malheur dans leur vie, rejettent le bonheur. Ils ont gravé dans leur esprit la superstition que chaque sommet atteint est suivi d'une descente vers un gouffre profond. Ceci est faux. Il est possible de naviguer sur des eaux calmes et d'atteindre ses buts sans peine ni misère.

Concentrez votre attention sur votre but

Voici une autre lettre qui pose une question intéressante:

Je m'assois et pense à mes buts jusqu'à ce qu'ils soient clairs dans mon esprit. Une semaine plus tard, j'ai oublié ce qu'étaient mes buts et je réalise que j'en ai d'autres. Pourtant, tel que je le conçois, le subconscient n'oublie pas. Qu'en pensez-vous?

Votre subconscient n'oublie jamais, mais parce que les changements de situation sont fréquents dans votre vie, vous y adaptez constamment vos réactions conscientes. C'est pourquoi je crois qu'il faut écrire ses grands objectifs et les reviser de temps à autre. Pour que la vie travaille en votre faveur, vous devez toujours visualiser votre but.

Je regardais une partie de football à la télévision. Un joueur était sur le point d'attraper le ballon, mais il le quitta des yeux pour voir s'il y avait des bloqueurs autour de lui. Cette réaction semblait très logique mais étant donné qu'il avait perdu le ballon de vue, il n'a pu compléter la passe. Cette fraction de seconde a coûté à toute l'équipe une belle avance.

Faire un acte de foi et se créer des dettes ne sont pas synonymes.

Je connais des gens qui dépensent leur argent avant de l'avoir en main et se retrouvent profondément endettés.

Emmet Fox avait l'habitude de raconter l'histoire de la femme qui après avoir entendu sa conférence sur la foi, était allée chez Wannamakers à New York s'acheter, à crédit, des vêtements très dispendieux. C'est quand Wannamakers a commencé à insister pour se faire payer, qu'elle est retournée voir le Dr Fox, en lui disant:

«Mais j'avais la foi, je suis sortie sur un élan de foi.»

Et le Dr Fox de répliquer: «Vous n'êtes pas sortie sur un élan de foi... Vous êtes sortie tout droit chez Wannamakers!»

Chapitre VI
BUTS NÉGATIFS
RÉSULTATS NÉGATIFS

Des buts, des buts, des buts. Notre vie est faite de buts. Saviez-vous que votre première pensée le matin est un but, chaque prière est un but? Même la décision de faire le marché est un but à court terme. Les buts sont aussi naturels que la respiration. Nous nous fixons constamment des buts sans nous en rendre compte. Le malheur est que ces buts sont fixés à l'aveuglette, plusieurs sont négatifs et indésirables. Il y a un vieux dicton qui dit: *Sois prudent dans tes demandes, tu pourrais aussi bien être exaucé!*

Tous les jours, je reçois plusieurs lettres remplies de buts négatifs que les gens ont, en toute innocence, abandonné au médium créateur de l'esprit. Je suis renversé par les ordres que ces gens transmettent à leur esprit.

«Chaque fois que je me présente pour un travail, on me refuse. C'est bien ma chance.» Ce genre de remarque va se traduire par d'autres refus.

«Chaque fois que j'obtiens un emploi intéressant, il arrive toujours quelque chose et je me fais congédier.» Encore un ordre négatif qui produira d'autres résultats similaires. C'est l'équivalent d'avoir un but négatif.

«Pourquoi mes enfants ne m'aiment-ils pas et sont-ils si ingrats envers moi?» Voilà un but plus subtil, mais tout aussi négatif et qui va laisser le parent plaignard dans sa position de martyr.

Comprenez-vous ce que je veux dire? Voyez-vous comme il est important de se fixer des buts positifs et d'y croire?

Comment les attitudes négatives produisent des résultats négatifs

Nous avons dans nos bureaux un appareil pour adresser les lettres. Cet appareil fonctionne à merveille mais il n'en a pas toujours été ainsi. Au début, la jeune fille qui en avait la responsabilité était convaincue qu'elle ne pourrait jamais le faire fonctionner correctement. Elle l'appelait *le monstre* et s'attendait au pire. Conséquemment, il se brisait continuellement. Toute la journée, elle élevait les mains en signe de désespoir.

«C'est le monstre encore», s'exclamait-elle.

Je riais dans ma barbe quand elle disait: «Si tout le reste échoue, lis les instructions!» Toutefois, elle n'a jamais lu les instructions et les difficultés techniques se sont succédées sans interruption, jusqu'à son départ. La jeune dame qui l'a remplacée trouvait cet appareil merveilleux. Dès le début, tout a bien fonctionné et l'appareil ne s'est jamais plus détraqué depuis. Les buts négatifs peuvent causer beaucoup d'ennuis.

Quand nous comprenons bien la méthode, nous savons pourquoi nos buts n'ont pas toujours été atteints. Cette méthode est une nouvelle façon de vivre. J'en suis arrivé à la conclusion que se fixer des buts est l'activité la plus remarquable de notre esprit. Quand je me fixe un but, je donne accès à la *Puissance: elle* m'envahit et à partir de ce moment, toutes les ressources de la vie sont à l'oeuvre pour la réalisation du but en question.

Se fixer des buts est un Art

Vous fixez-vous vraiment le genre de buts que vous voulez atteindre?

Se fixer des buts est un art et une science, fondés sur des lois mentales bien définies. Tout le monde peut se servir de ces lois. Personne n'est exclu. Lorsque vous saisirez l'approche scientifique de cette méthode, vous comprendrez pourquoi certains de vos buts ont été atteints et d'autres pas. Personne ne peut emprunter de raccourcis. «*Tout est possible à celui qui croit*», a dit le plus grand adepte de tous les temps de la méthode des buts.

Pourquoi certaines personnes ne semblent jamais réaliser leurs buts

Au chapitre II, je vous ai parlé de notre *coffre aux trésors.* Depuis, nous avons reçu des lettres de gens de tous les milieux, des lettres concernant des situations variées. Des lettres de gens dont les buts se réalisent en ce moment. Mais, il y en a aussi qui disent qu'aucun de leurs buts n'a été atteint. Pourquoi? Il y a habituellement une excellente raison.

Dans la majorité des cas, les buts étaient trop vagues. Dans plusieurs cas, les buts étaient d'une telle nature que n'importe qui aurait eu de la difficulté à les accepter. En d'autres mots, ils n'étaient pas réalistes.

Quelques-uns étaient des buts pour contenter les autres. Il devenait donc évident que ces buts avaient été engendrés par la critique. Les buts visaient seulement à changer d'autres personnes qui, de toute évidence, ne voulaient pas changer. Par exemple, des mères qui voulaient que leurs garçons se coupent les cheveux ou abandonnent l'usage de la marijuana. Des femmes qui voulaient changer leurs maris qui, selon toute apparence, aimaient leur façon de vivre. Une des choses les plus importantes que nous avons apprise de cette expérience, c'est qu'il faut que chacun établisse ses propres buts et qu'il s'agit là d'une expérience personnelle.

Nous ne devrions jamais essayer d'imposer des buts aux autres. Cela ne peut que frustrer tout le monde. Nous pouvons encourager une autre personne et lui procurer de l'inspiration et des idées. *Mais nous ne pouvons fixer des buts pour les autres et encore moins nous attendre à ce qu'ils les atteignent, à moins qu'ils n'y consentent et reconnaissent qu'ils n'auraient pas choisi d'autres buts que ceux-là.* En d'autres termes, chaque but doit être fait sur mesure pour une personne, par cette même personne. Ainsi le but peut devenir une réalité mentale dans la conscience de celui qui l'a défini. Il doit se situer au niveau émotif pour que celui qui doit le réaliser soit capable de le sentir à l'avance en esprit comme un fait accompli.

Le cycle de réalisation

En pensant à la grande diversité des buts, il m'est venu à l'esprit que nous devrions tous considérer un but comme notre objectif personnel de création. J'emploie le mot *création* pour mettre l'accent sur le fait que se fixer et atteindre un but dépend de la puissance créatrice transportée dans le grand courant de la vie. Elle est personnalisée à travers le subconscient de chacun. Ainsi, l'établissement des buts dépend de l'acceptation créatrice intérieure qui détermine ce qui est valable pour nous. La réalisation d'un but dépend de *l'attente créatrice* qui est en nous. Le cycle de réalisation commence par une intuition de l'intérieur, puis l'inspiration fournit les idées qui définissent le but, vient ensuite l'imagination pour le visualiser et la détermination pour en poursuivre la réalisation jusqu'au bout. C'est vraiment une expérience personnelle et c'est pourquoi chacun devrait fixer ses propres buts.

Ne vous attendez pas à ce que tous les buts soient atteints en un an

J'aime considérer nos buts à long terme comme étant *des objectifs créateurs majeurs*. Par exemple: écrire un livre, compléter ses études universitaires, fonder un foyer, commencer une nouvelle carrière, s'établir en affaires, acheter et payer une maison, accumuler un certain montant d'argent dans un temps donné, monter une entreprise florissante, etc. Il peut y avoir plusieurs objectifs créateurs dans la vie d'une personne parce que la vie a plusieurs facettes. On peut avoir des objectifs en affaires, des objectifs de développement intellectuel, comme apprendre une nouvelle langue ou entreprendre de nouvelles études. On peut aussi avoir des objectifs en vue d'améliorer une situation familiale ou spirituelle. Vos objectifs majeurs peuvent impliquer beaucoup de temps si c'est nécessaire. Ne vous attendez pas à atteindre tous vos buts à long terme en un an. Il faut que toutes les étapes nécessaires soient franchies et le déroulement de cette séquence peut s'étendre sur plusieurs années.

Souvent nous avons des *objectifs créateurs mineurs* qui, en fait, font partie d'un objectif plus important. Par exemple, réussir dans toutes les matières dans un semestre; avoir une année prospère dans les affaires; régler des problèmes avec son fils adolescent; écrire un chapitre de livre par semaine; construire une atmosphère de confiance et de bien-être spirituel; fabriquer et mettre en marché avec succès un nouveau produit, écrire un article dans une revue, etc. Nous avons tous des objectifs quotidiens qui sont nécessaires dans notre vie de tous les jours.

Buts négatifs et point de vue positif

J'ai sur mon bureau une lettre d'une dame qui se lit comme suit:

Ma longue recherche s'est terminée de façon fantastique. J'ai pris trois feuilles et dressé les listes suivantes:

1. *Ce que je ne veux pas dans ma vie.*
2. *Ce que j'accepte maintenant.*
3. *Ce qui me rend heureuse.*

J'ai été surprise de découvrir comme tout est plus clair une fois qu'on l'a écrit. Parce que l'inspiration m'est venue de l'intérieur, je peux maintenant exprimer un désir que j'avais depuis longtemps. Je suis convaincue qu'il y a un besoin pour ce que j'ai et que je donne avec joie à la vie.

Elle a pu ensuite définir ce qui était son objectif majeur de création. En l'écrivant, elle s'est identifiée à lui et elle a clarifié sa pensée. Il n'y a plus de question, son but va maintenant se réaliser.

La plupart des gens sont trop vagues quand ils se fixent des buts

Une chose que j'ai remarquée dans ma correspondance, c'est que la plupart des gens sont trop vagues dans la définition de leurs buts et ils se découragent quand ils ne les atteignent pas. Ils se fixent comme but d'être heureux ou d'être prospères, etc. De tels buts sont de toute évidence trop vagues et il est impossible d'en mesurer la réalisation. Alors comment savoir si on les atteint ou non? Quand l'auteur de tels buts est prêt à les réévaluer, sa conception du bonheur et de la prospérité a évolué, de sorte qu'il ne reconnaît pas le bien qu'il désirait quand il le reçoit.

Soyez réalistes

C'est bien d'être précis dans vos buts même si vous ne prévoyez pas la façon dont tout va se dérouler. Mais voici une subtilité digne de mention. Le but devrait être quelque chose que vous êtes capable d'accepter en imagination, quelque chose qui n'est pas au-delà du possible *à vos yeux*. Par exemple, une personne qui a de la difficulté à payer un logement d'une pièce et qui a pour but de posséder un palais de trente pièces, se fixe un but qu'il trouverait difficile d'assumer d'un seul coup. Tout être humain doit ramper avant de marcher et marcher avant de courir.

Vaincre les difficultés par des buts positifs peut vous apporter une force intérieure

Elizabeth Dole, l'épouse du sénateur Robert Dole du Kansas, a visité le *Centre de Réhabilitation* de San Diego en Californie, pendant la campagne électorale de 1976. Bien qu'il n'y ait pas eu beaucoup de votants dans ce genre d'endroit, elle voulait le visiter parce qu'elle aime aider les gens à vaincre les difficultés. Elle s'est arrêtée près du lit d'une femme de 83 ans, cardiaque, et elle lui a murmuré: «Ne lâchez pas, vous pouvez vous en sortir. Mon père a fait deux crises cardiaques en quatre ans et il se rend toujours à son bureau, bien qu'il soit âgé de 83 ans. Luttez de toutes vos forces». Et puis elle a raconté l'histoire suivante:

«Je sais ce que la volonté peut faire et de quel encouragement on a besoin. Quand Robert a été blessé pendant la Deuxième Guerre, on l'a ramené d'Italie, le cou cassé, paralysé de la taille aux pieds, le bras droit broyé. Il a dû subir huit ou neuf interventions chirurgicales en trois ans. Le moment critique a été celui où son médecin lui a dit: «Vous pouvez lâcher, mais vous pouvez aussi accepter l'épreuve et grandir. Décidez de guérir.»»

Madame Dole a déclaré aux journalistes que l'adversité a procuré à son époux une force intérieure et une trempe qui lui permettent de faire face à n'importe quelle situation aujourd'hui.

L'exemple du sénateur Dole refusant un but négatif pour en adopter un positif est un exemple frappant. Il aurait été tellement facile pour le sénateur Dole d'opter pour le but négatif. Il aurait pu choisir la voie facile: être un invalide, entretenu par le gouvernement le reste de sa vie. Quelques mots bien choisis par son médecin lui ont donné l'encouragement nécessaire et il a alors choisi un but de guérison.

Créer l'ambiance mentale idéale

Chacun de nous crée par ses pensées son ambiance mentale. Ralph Waldo Emerson a dit: «Un homme devient ce à *quoi il pense à longueur de journée.*» L'ambiance mentale d'une personne est la somme totale de ce qu'elle pense d'elle-même, des autres et de son existence. Si la méditation connaît un si grand succès, c'est que dans ce moment de silence où on est totalement rempli de l'idée de Dieu, de la Paix, de la Joie, de l'Amour et de la Beauté, on est conscient de la présence du Bien dans sa vie. Pendant ce court moment du moins on est libéré de l'atmosphère de pensée erronée qui nous prive de notre bien.

On ne peut entretenir qu'une pensée à la fois. Quand nous pensons amour, nous ne pouvons penser simultanément haine ou peur. Si nous voulons réussir dans la poursuite de nos buts, il faut créer une ambiance mentale positive, créatrice et amoureuse. Beaucoup de gens s'embourbent dans les ornières de la pensée négative, destructrice et cruelle à leur sujet et au sujet des autres. Une atmosphère de pensée négative annule tout progrès qu'une personne est en mesure d'accomplir. Heureusement, il est possible de changer cette atmosphère. Paul le dit en ces termes: «*Soyez transformés par le renouvellement de votre esprit*». Non seulement on peut changer cette atmosphère, mais notre pensée nouvelle devient contagieuse et attire à elle tout ce qui lui est semblable.

Il faut se rappeler que l'on est seul capitaine de son bateau. Nous nous tenons à la barre et nous naviguons entre les récifs et les écueils, suivant un parcours qui est le bon pour nous. La destination ultime (l'objectif créateur majeur) doit être choisie par nous et par personne d'autre.

Par notre ambiance mentale créatrice, nous laissons savoir ce que nous attendons des autres dans la vie. Si nous

nous attendons au meilleur chez une autre personne, c'est probablement ce qu'elle sera. Ceci s'applique à nos enfants, à nos associés, à nos compagnons de travail, et à toutes les personnes qui nous entourent. Nous ne pouvons leur fixer des buts, mais nous pouvons avoir envers eux des attentes positives, en n'oubliant pas toutefois d'être prêts à leur pardonner quand ils ne répondent pas à nos attentes.

Cessez de condamner vos actes et ceux des autres

Bannissez tout jugement de votre vie. Comment pouvez-vous savoir quel est le moment parfait pour l'obtention d'un but? Peut-être est-il déjà en voie de réalisation, n'ayant plus qu'une étape à franchir avant d'apparaître enfin à l'horizon de votre existence.

Comment pouvez-vous savoir ce qui est bon pour les autres, ce qui est nécessaire à leur croissance spirituelle et mentale? N'acceptez jamais la défaite. Si votre but n'est pas atteint quand vous croyez qu'il devrait l'être, oubliez vos erreurs et recommencez. Peut-être que ce n'était pas le bon moment. Rappelez-vous que le moment que Dieu a choisi est toujours le meilleur. La Bible dit:

Il y a un moment pour tout et un temps pour tout faire sous le ciel: un temps pour enfanter, et un temps pour mourir: un temps pour planter, et un temps pour arracher le plant; ...un temps pour détruire, et un temps pour bâtir; ...Il a fait toute chose belle en son temps. (Ecc. 3)

Laissez vos buts se développer selon le plan de Dieu et vous ne manquerez de rien.

Se fixer des buts par la prière

La prière n'est-elle pas une autre manière de se fixer des buts?

La vraie prière scientifique est la manière la plus pure de se fixer des buts. Le Grand Maître a dit: «Il vous est fait selon votre foi» et, «Tout ce que vous demanderez en priant, croyez que vous l'avez reçu et vous le verrez s'accomplir». Il comprenait les buts. Chaque miracle était la réalisation d'un but que tout le monde pouvait voir et admirer.

La clé pour se fixer et atteindre un but

Ce que vous pouvez concevoir dans votre esprit, croire dans votre esprit et espérer en toute confiance dans votre esprit, vous le verrez s'accomplir. Vous remarquerez que je répète *dans votre esprit*. Tout se passe dans l'esprit de la personne qui se fixe des buts.

Est-ce que la défaite signifie que tout est perdu?

Est-ce que des buts qui ne se réalisent pas peuvent déclencher une impression de défaite?

Oui, si on choisit de se sentir vaincu.

Il y a plusieurs façons de réagir. On peut se demander *pourquoi* et en conséquence atteindre une meilleure compréhension de soi. Le but fixé n'était peut-être pas ce qu'on voulait vraiment ou encore n'était pas réaliste ou désirable. Peut-être n'y avait-il pas assez de détermination au départ pour vous mener à la réalisation du but choisi.

Plus on comprend la méthode des buts, mieux on se défend contre la frustration en cas d'échec. Les buts non atteints peuvent nous offrir un défi intéressant et de nouvelles possibilités de croissance et de compréhension.

La connaissance des lois nous aide.

J'ai reçu une lettre anonyme d'une personne se décrivant comme «très désillusionnée de la méthode des buts».

J'ai pensé que vous seriez intéressé de savoir qu'aucun de mes buts n'a été réalisé jusqu'à maintenant, AUCUN!!! Et j'avais tant la foi auparavant.

Avait-elle la foi? Cette personne devrait réexaminer les buts qu'elle s'était fixés. Il y a sûrement quelque chose qui cloche dans sa façon de se fixer ou d'atteindre ses buts. Ce que cette personne écrit revient à dire que le soleil n'existe plus quand les nuages le masquent.

L'art de se fixer et d'atteindre des buts est régi par des lois qui ont toujours existé et qui existeront toujours. La connaissance, la compréhension et l'application de ces lois nous assurent l'accomplissement de nos buts. J'ai l'impression que mon correspondant est déterminé à ne pas atteindre ses buts pour prouver que ce système ne fonctionne pas.

La tension et les buts

Un homme m'écrit:

Je ne crois pas aux buts. Ils créent chez moi de la tension et m'étouffent. Ils sont mauvais pour moi. N'est-il pas mieux de ne pas en avoir?

Plusieurs personnes sont comme cet homme. Parce qu'ils ont peur de ne pas atteindre leurs buts, ils choisissent l'échec plutôt que de risquer l'insuccès en cours de route. C'est là un type d'échec assez commun.

Si vous êtes de ces gens, vous devriez garder vos buts secrets. Puis, imaginez comment ce serait si vous ne réussissiez pas. Ceci éliminera la peur de l'échec. Vous pourrez constater que l'échec n'est pas forcément une catastrophe, mais que si vous aviez le choix, vous choisiriez de réussir. Acceptez le succès comme but et vous connaîtrez le succès.

Les buts donnent une direction à la vie

Et il y a ceux qui s'assoient à l'ombre d'un arbre et attendent que la vie se manifeste!

«Des buts! Jamais! C'est manipuler la vie. Pas moi! Je ne me fixe pas de buts. Je laisse la vie suivre son cours.»

Se fixer des buts ne veut pas dire que nous manipulons la vie. Se fixer des buts, c'est donner une orientation à sa vie. Sinon, nous allons à la dérive et n'arrivons nulle part.

Quand vous faites de la voile, vous n'allez pas nécessairement dans la direction du vent. Vous choisissez votre objectif, puis vous naviguez vers cet objectif. Vous aurez à manoeuvrer. Que le vent soit contre vous ou derrière vous, vous vous en servez pour atteindre l'objectif. Vous orientez les voiles de telle sorte que le vent fasse avancer votre voilier. Vous ne manipulez pas le vent, vous l'utilisez.

Un bateau fait voile au couchant
L'autre cingle vers le levant
Sous la poussée des mêmes vents.
Peu importe d'où vient la brise
C'est le sens où la voile est mise
Qui dirige le bâtiment.
Le grand souffle du destin
Pousse, ainsi que les vents marins,
Notre vie vers quelque rivage.
Mais l'âme a son appareillage
Et choisit son port de mouillage
En se riant des flots mutins.

Ella Wheeler Wilcox

Chapitre VII

QUELQUES TECHNIQUES UTILES

La vie est une expérience personnelle. Chaque individu est unique. Chacun doit avoir sa propre pensée. Si vous laissez quelqu'un d'autre penser à votre place, vous devenez inexistant. Chacun doit vivre sa vie à sa façon. Personne ne peut vivre votre vie pour vous.

De nos jours, nous sommes en présence d'une quantité incroyable de théories. Théories sur l'économie, sur l'environnement, sur l'éducation des enfants, théories sur la connaissance de soi, et théories sur le succès. La littérature et les média nous bombardent de théories. Je propose de vous livrer quelque chose de plus concret, quelque chose que vous pouvez adapter à votre vie. Je vais vous donner des techniques applicables et précises pour atteindre vos buts que vous pourrez utiliser. Ces techniques ont fait leurs preuves: elles donnent des résultats, *à condition que vous les appliquiez strictement*. Ce que vous lisez en ce moment est un manuel pratique, un guide pour l'action et les réalisations. Si vous le lisez sans le mettre en pratique, il sera pour vous sans valeur. Je compte sur vous, j'insiste pour que vous le mettiez en pratique.

Techniques que vous pouvez utiliser pour atteindre vos buts

1. La technique du choix d'un but légitime.
2. La technique de l'auto-identification.
3. La technique du miroir.
4. La technique de la visualisation.
5. La technique de la carte au trésor.
6. La technique de vivre ses rêves.
7. La technique de l'autodétermination
8. La technique de l'enthousiasme émotif.
9. La technique de l'auto direction.
10. La technique de l'abandon confiant.
11. Un bon leadership - Fixer des buts pour un groupe.
12. Le Grand Secret de la réalisation des buts: *Utiliser le principe MAINTENANT!*

Les six dernières sont des techniques poussées qui seront traitées séparément au Chapitre VIII.

Comment choisir un but réaliste.

Les buts qui ne sont pas conformes aux lois de la vie sont irrationnels et ne prendront jamais place dans la réalité. Par exemple, si j'avais pour but de marcher sur la lune sans avoir l'intention de devenir astronaute, en comptant seulement sur la paire d'ailes que j'ai fabriquées dans mon sous-sol, ce serait un but irrationnel.

Une personne qui a eu une mentalité de *sans-le-sou* toute sa vie ne peut devenir multi-millionnaire d'un coup. Ce serait irrationnel. La loi dit: *Ce que vous êtes capable de croire, d'assumer personnellement, d'attendre avec con-*

fiance, doit nécessairement un jour faire partie de votre expérience.

Un but réaliste est un but que vous pouvez assumer personnellement et auquel vous croyez. Si vous n'y croyez pas il ne peut se réaliser.

Un but réaliste est un but qui est en harmonie avec les lois de la nature. Je pourrais dire que mon but est de nager de Los Angeles à Hawaii, mais ce serait un but irrationnel.

Récemment, j'ai recommencé à jouer au tennis après un arrêt de plusieurs années. Serait-il réaliste de vouloir gagner le tournoi de Wimbledon ou la Coupe Davis? Je ne peux assumer ni l'un ni l'autre. Ce doit être un but que je puisse assumer et il faut que je sois capable d'y croire.

Comment un but qui semble irréalisable peut devenir réalisable

En 1948, le docteur Wernher von Braun, à l'aide d'une règle à calcul, avait effectué les opérations prouvant la possibilité d'une expédition sur Mars.

Dans une nouvelle préface à son classique sur les voyages spaciaux publié la première fois en 1953, Wernher Von Braun fait remarquer:

Dans la première édition, je déclarais que les exigences logistiques pour une expédition sur Mars n'étaient pas plus considérables que celles d'une opération militaire mineure sur un territoire limité. Je suis maintenant en mesure de rétracter cette déclaration et j'affirme que sur la base des progrès technologiques disponibles ou anticipés en 1962, une grande expédition sur Mars sera réalisable d'ici 15 ou 20 ans à un coût représentant une infime partie du budget annuel pour la défense.

L'Histoire prouve qu'il avait bien raison quand en 1976 *Viking I* s'est posé sur Mars selon les calculs initiaux du docteur von Braun.

En 1954, le docteur Hans Friedrich, qui était l'associé de von Braun, s'est rendu à mon invitation à une réunion du Club Masculin de San Diego et a illustré sur un tableau le projet Mars. Il n'avait aucune note, tout était dans sa tête. Ce soir-là, il nous avoua que tout ce qui manquait c'était 10 millions de dollars pour atteindre le but. Plusieurs personnes alors considéraient le but comme irréalisable.

Depuis les premiers pas sur la lune, les voyages spaciaux ne font plus partie de la fiction. Les anticipations sont devenues réalité et la preuve éclate une fois de plus qu'en semant dans la pensée on récolte dans la réalité.

Les buts doivent être quelque chose qu'on peut assumer

L'entraîneur de l'équipe de football des Chargers de San Diego, Tommy Prothro, explique pourquoi il ne s'est pas fixé comme but de gagner les 14 parties de la saison dans un article de journal intitulé: «7-7 UN BUT RÉALISTE POUR LES CHARGERS». «Mes joueurs, précise-t-il, sont de nouvelles recrues; c'est leur première année de football professionnel. Je veux bâtir une bonne équipe et ça demande de l'expérience.» L'année dernière, son équipe avait gagné deux parties et en avait perdu douze. Il place son but plus haut cette année et pour qu'il soit réaliste, il fallait que tous les joueurs puissent l'accepter.

La technique de l'auto-identification

Vous avez sûrement déjà entendu l'expression: *les pensées sont des choses*. C'est vrai. Tout a d'abord été une pensée. Quelle que soit l'image avec laquelle on peut s'identifier dans son esprit, on est presque sûr de la voir se concrétiser. Quand nous nous identifions à nos buts et que nous agissons mentalement comme s'ils étaient déjà atteints, nous sommes en voie de les voir se réaliser.

À la faculté de droit, quand j'ai commencé, j'ai suivi un cours en orientation juridique enseigné par Phil Gibson qui, plus tard, est devenu juge en chef de la Cour Suprême de la Californie. Au premier cours, il nous a demandé de nous comporter comme des avocats, de penser comme des avocats, d'être des avocats. Il nous a fait comprendre qu'il ne s'agissait pas de se faire des illusions, mais que l'apprentissage que nous ferions en cours de route amènerait graduellement la réalisation de l'idéal auquel nous nous serions d'abord identifiés. La classe changea de façon remarquable: chacun se faisant une autre image de lui-même et adoptait une attitude nouvelle à l'égard des autres.

L'étudiant qui veut devenir un grand chirurgien doit s'identifier à son but et progresser pour finalement l'atteindre, après avoir fourni le travail nécessaire. J'appelle ce travail l'humble démarche humaine qui nous conduit du connu à l'inconnu. Quand elle est accomplie, le but est atteint.

Une personne qui veut atteindre le million dans la vente de l'immeuble doit être capable d'assumer une telle performance et ressentir à ce moment qu'elle réalise ce grand objectif.

Quand les juges ont déclaré Muhammed Ali vainqueur, Ken Norton était abasourdi. Il croyait, comme beaucoup d'autres, qu'il avait gagné. On l'a accusé d'être amer. Récemment, il déclarait dans le *San Diego Union: Pour exceller dans ce qu'elle fait, une personne doit être motivée. En ce moment, je n'ai pas de but. La seule raison qui fait que je boxe, c'est pour gagner plus d'argent.*

La motivation requiert de l'auto-identification. À moins qu'une personne ne puisse s'identifier à un but, il n'existe pas de motivation.

La Puissance du «Je suis».

La théorie de l'identification de soi-même avec un but est la suivante: Tout ce que vous identifiez avec «Je suis», vous le devenez. «Je suis», c'est un état d'être. Il nous appartient de décider ce que nous allons associer à notre «Je suis». Est-ce que ce sera:

Je suis faible		Je suis fort
Je suis pauvre	ou	Je suis riche
Je suis malade		Je suis en santé

Ce que nous assumons se réalise. Aussi, si nous n'aimons pas ce que nous sommes, il nous appartient de changer notre auto-identification. Les règles appuyant la technique de l'auto-identification sont:

1. Changer l'image que nous avons de nous-mêmes.
2. Croire à la nouvelle image.
3. Accepter la nouvelle image.
4. Vivre la nouvelle image.

Souvenez-vous, tout commence dans l'esprit. Graduellement, ce que nous avons enveloppé dans notre pensée se développe dans le champ de la réalité.

Être flexible n'est pas vaciller.

J'ai eu au collège un compagnon de chambre qui un jour voulait être médecin et le lendemain, avocat. Puisqu'il changeait continuellement ses objectifs, il ne s'est jamais fixé dans une profession. Conséquemment, il n'a jamais atteint un but.

Un jour que je m'adressais à un auditoire au sujet de l'accomplissement des buts, on m'a demandé: «Est-ce un signe de faiblesse que de changer de buts? Est-ce que je dois garder un but qui ne m'emballe plus?»

Il *est* important de rester flexible. En évoluant, nous abandonnons certaines façons de penser. Au plus profond de nous-mêmes, nous changeons et il est normal que certains de nos anciens buts ne correspondent plus à nos désirs les plus profonds. La vie est un enchaînement de buts. Nous en réalisons certains et d'autres pas. Il y en a que nous dépassons avant de les avoir atteints. Quand nous réalisons un but, nous devrions nous en fixer un nouveau.

Tendez toujours au dépassement. Si les buts d'hier ne sont plus pour vous un dépassement, donnez-leur une nouvelle dimension. C'est une question d'auto-identification. À quoi vous identifiez-vous aujourd'hui? Chaque jour, nous devrions être plus sûrs de nos croyances, un peu plus confiants, un peu plus assurés. C'est la base de la technique des buts. C'est pourquoi notre Fondation établit à chaque année son programme de buts. L'association aide les gens à développer l'auto-identification.

Williams James, le père de la psychologie moderne a déclaré que la plus grande révolution de sa génération a

été la découverte que les humains, en changeant leurs attitudes intérieures, peuvent changer les aspects extérieurs
de leur vie.

De toutes les créatures terrestres, l'homme seul peut
changer sa façon de vivre. L'homme seul est l'architecte de
sa destinée.

La technique du miroir.

Quand vous vous tenez devant le miroir, que reflète-t-il
de votre santé, de votre psyché et de votre apparence?

Si vous voyez dans le miroir une personne obèse, pourquoi ne pas lui dire qu'elle doit se prendre en main? Bien
sûr, cette personne dans le miroir c'est *vous!*

L'auto direction, la science de l'orientation de l'esprit en
fonction d'un but à atteindre, fonctionne vraiment quand
on y applique le processus de l'auto-identification. Si vous
vous voyez obèse, vous aurez tendance à dire: «Je suis
gros» ou «J'ai 7 kilos de trop» ou «Ai-je vraiment l'air de
ça?»

Mais pourquoi vous identifier à quelque chose que vous
ne désirez pas? Mentalement, changez l'image du miroir en
changeant celle à laquelle vous vous identifiez. Bien que
vous voyiez une personne obèse dans le miroir, dites: «Je
suis souple, je suis fort, j'ai un beau corps, je choisis le
poids idéal» (et dites le poids qui vous convient).

Tout en vous regardant dans le miroir, changez l'image
mentale pour la remplacer par une silhouette mince, souple et belle. Étendez vos bras au-dessus de votre tête,
placez-vous sur la pointe des pieds. L'excès de poids sem-

ble disparaître. Vous pouvez visualiser le corps que vous voulez avoir. Identifiez-vous à ce que vous désirez, acceptez-le, et commencez à faire ce qu'il faut pour atteindre votre but.

La technique de la visualisation

Quand vous visitez la salle de montre chez un concessionnaire d'automobiles et que vous marquez un intérêt quelconque pour l'une d'entre elles, la première chose que le vendeur fait est de vous inviter à vous asseoir au volant. Il vous offre de faire un tour d'essai. Il veut que vous vous voyiez au volant comme propriétaire de l'automobile. S'il y arrive, la vente est pratiquement réalisée.

Tous ne peuvent penser en images. Le docteur Albert Einstein pensait en équations. Sa femme disait que chaque fois qu'il avait une idée, il l'écrivait sous forme d'équation. Ses poches étaient remplies de vieilles enveloppes sur lesquelles il y avait des chiffres. Un musicien peut penser en terme de sons et d'harmonies.

En ce qui concerne les buts, bien chanceux celui qui pense en images. Cette forme de pensée apporte une idée abstraite dans le domaine du réel sour une forme objective. La technique de la visualisation est un outil efficace dans l'accomplissement d'un but. On devrait visualiser le résultat désiré puis, après avoir établi une image mentale précise, faire table rase de toute préoccupation relative au *comment* de la réalisation. Le subconscient commence son travail et les idées viennent de la *Source d'Inspiration* qui se trouve au plus profond de nous. Ces idées sont transmises du subconscient à l'esprit conscient. Le conscient soupèse ces idées et adopte la méthode qui lui semble la plus acceptable. C'est alors le moment d'agir pour réaliser son but en traversant l'une après l'autre les étapes nécessaires. L'esprit ne faisant qu'un avec le but en assure la réalisation.

Ne pas confondre visualisation et rêvasserie.

La visualisation, pour être considérée comme une activité créatrice de l'esprit, doit s'accompagner d'un désir d'atteindre et d'accomplir ce qu'on a visualisé. La rêvasserie est un passe-temps agréable, une activité mentale par laquelle on crée toute une imagerie intérieure, mais sans avoir l'intention d'obtenir la réalisation de ce qu'on a rêvé. Par contre, l'imagination créatrice entre en jeu lors de la visualisation. Albert Einstein a dit que l'imagination est plus précieuse que la connaissance.

La visualisation inclut aussi la psychologie de l'image de soi. Comment l'individu se perçoit-il en rapport avec son but? Se voit-il l'atteindre ou s'en croit-il indigne? Se perçoit-il comme une personne douée de talent et de capacités, capable de faire aboutir un projet, ou au contraire, se voit-il comme un raté, incapable d'aucune réalisation? On peut changer les images négatives en les inversant. C'est là l'attrait de l'esprit productif. Rien n'est immuable. La seule chose qui reste inchangée, c'est le *Pouvoir Parfait* en vous qui coule de la *Source Infinie* qui est toute-sagesse, toute-intelligence, omni-présente, capable de toutes choses.

On dirait parfois de la magie.

Quelquefois la visualisation aboutit si facilement à des résultats qu'on dirait de la magie. Une jeune femme qui avait une petite fille de cinq ans vivait dans un milieu pauvre et peu attrayant. Elle se disait qu'il y avait sûrement un moyen de trouver un meilleur endroit pour vivre. Les logements étaient rares, et il lui semblait que personne n'était intéressé à louer à quelqu'un qui avait des enfants. Elle avait cherché partout et, selon toute apparence, les perspectives s'annonçaient sombres. Puis un jour, ses parents l'invitèrent à séjourner chez eux et elle mit temporairement son problème de côté. Elle aurait tout le temps d'y faire face à son retour. Et c'est l'esprit léger qu'elle prit le train, comme s'il s'agissait d'une aventure. Comme le train sortait de la gare, elle renversa la tête sur le dossier de la banquette avec un soupir de soulagement. Trois jours entiers loin des soucis!

Et alors elle s'est mise à rêver, sans stress, sans inquiétude. Elle imaginait la maison idéale. Elle la voyait: un étage, genre bungalow, de la brique antique, des jardinières sous les fenêtres, un foyer de briques, un petit sentier de pavés menant à l'entrée, des géraniums en pots à la porte. Dans son esprit, elle possédait déjà cette maison. Elle ne ressentait plus d'anxiété, seulement une impression de soulagement et d'accomplissement.

C'est dans cet état d'esprit qu'elle entreprit de visiter l'intérieur. Tout était parfait! Des boiseries de pin chaque côté du foyer, même un support à assiettes de collection. La chambre principale avait un immense garde-robe. Et la chambre d'enfant était idéale. Les couleurs étaient harmonieuses, tout était fait sur commande. Elle a ouvert les yeux et s'est sentie très heureuse. C'est comme si elle avait passé sa commande et elle pouvait maintenant l'oublier et jouir de ses vacances. En fait, c'est la dernière fois qu'elle a pensé à son problème de logement jusqu'à son retour.

Quand elle est revenue à la maison, la réponse était claire. Leur vie prenait une orientation toute différente. Elle a ressenti un grand besoin de changer de ville. Tout semblait se passer dans l'harmonie et sans effort. Elle m'a dit plus tard qu'il lui semblait qu'une main invisible la guidait vers l'accomplissement de son but.

Arrivée dans la nouvelle ville, elle était attirée vers un certain secteur. C'est comme si on lui avait dit de se rendre dans une certaine rue. Ni elle ni l'amie qui l'aidait ne connaissaient cette rue.

Elle était là! La maison de rêve! Tout y était, le sentier, la brique antique, le géranium! Les mêmes rideaux qu'elle avait imaginés. Le petit sentier de pavés semblait l'inviter à la porte. L'habitation était libre. Elle s'informa auprès des voisins qui, plus tard, sont devenus de grands amis. L'habitation était en effet vacante mais le propriétaire avait dit «pas d'enfants».

«Toutefois, avait dit la voisine, quand il verra *votre* petite fille, il changera d'idée. Allez le voir. Je vais l'avertir de votre visite.»

La voisine avait vu juste, le propriétaire a changé d'idée et a loué la maison. Parce qu'elle s'est laisée aller à la rêverie, cette jeune femme a trouvé, pour elle et sa petite fille, la maison de rêve. Peu de temps après son déménagement, elle a trouvé un travail idéal. C'était comme un don tombé du ciel.

Par la visualisation, certains buts se réalisent rapidement

Une femme qui avait besoin d'un nouveau divan avait découpé dans un journal local la photo du divan de $599 qu'elle désirait et qui était en solde à $499. Elle l'avait placée sur son bureau et l'oublia complètement. La vente durait une semaine et comme elle avait été très occupée, elle n'a pu se rendre au magasin. Mais son subconscient travaillait pour elle au royaume invisible de l'esprit planifiant les détails.

Le dimanche suivant, en lisant le journal, elle a fait quelque chose d'inhabituel: elle a parcouru les annonces classées sous la rubrique *AMEUBLEMENT*. Elle se demandait ce qui lui arrivait... c'était tellement peu dans sa nature. Puis tout à coup, elle aperçut une annonce qui semblait en relief. On y décrivait un divan *comme neuf;* cela l'attirait. Elle est allée le voir; c'était exactement le divan qu'elle désirait: même marque, même tissu... tout était identique à la découpure de journal qu'elle avait sur son bureau. La seule différence était que ce divan pratiquement neuf se vendait $190.

Elle avait inscrit un rabais dans son esprit, et voilà qu'elle trouvait encore mieux.

Le subconscient n'est pas seulement notre serviteur mais quelquefois, il est *faiseur de miracles*. Il faut le laisser travailler en toute quiétude, il faut le laisser travailler à travers nous. Au commencement, Dieu créa le ciel et la terre. Le ciel, c'est notre conscience intérieure et la terre les manifestations extérieures. Ce que nous pouvons accepter en esprit est déjà en voie de se réaliser.

La technique de la carte aux trésors.

La carte aux trésors est une façon efficace de visualiser nos buts. Il y a quelques années, le magazine *The Nautilus* a lancé un concours couronnant le meilleur article qui expliquerait comment une carte aux trésors pouvait réaliser un désir. Ce concours a connu un très grand succès.

Plusieurs personnes, pendant ce concours, ont pu constater l'efficacité de cette technique.

C'est pendant l'hiver 1946 que j'ai vu pour la première fois l'élaboration d'une de ces cartes.

Nous vivions à Pasadena sur une falaise surplombant le stade. Au Jour de l'An, nous avions quatre billets pour la partie du Rose Bowl. Nous avions invité un couple de nos amis à dîner et pensions nous rendre au stade à pied.

Comme il pleuvait à verse et que nous étions si confortablement installés devant le foyer avec Bill et Marie, nous avions décidé de ne pas aller voir la partie.

Nos amis étaient sur le point de vivre de grands changements. Bill était courtier d'assurances. Au cours de l'après-midi, il nous avait expliqué qu'il aimerait travailler pour une grande agence, et être responsable du département des assurances-groupes. Je lui ai suggéré d'écrire ce désir et de le considérer comme un but. Je lui ai également conseillé de visiter une telle agence pour voir comment elle fonctionnait et d'en arpenter les lieux pour en ressentir l'ambiance. Nous avons parlé pendant une heure de ce que ce travail signifierait pour lui.

Il a commencé à visualiser ses déplacements à travers le pays, mettant au point des plans d'assurances pour diverses organisations importantes. Plus il en parlait, plus l'idée l'enthousiasmait.

Il en a parlé à sa femme qui, à son tour, s'est enthousiasmée. Son idée semblait commencer à se matérialiser à mesure qu'on en parlait.

Ce même après-midi, Marie a commencé sa carte aux trésors. Nous avons pris un grand carton blanc et Marie a découpé des illustrations dans des magazines; la maison qu'elle voulait, l'ameublement, etc... Elle a même décidé du nombre d'enfants qu'elle voulait: elle a collé des photos d'enfants sur sa carte. Elle a collé la photo d'un homme assis à une table de travail dans un bureau superbe, a inscrit le nom de Bill au-dessus et a ajouté les mots: *Responsable du département des Assurances-Groupes.*

Peu de temps après, Bill a posé sa candidature auprès d'une agence qui s'occupait d'assurances-groupes à l'échelle du pays. La personne qui a reçu sa demande lui a dit qu'elle connaissait une agence de grande envergure qui n'avait jamais offert d'assurances-groupes. Aussitôt, Bill est allé voir le gérant local de cette firme pour lui expliquer son projet: la façon d'approcher et de solliciter leurs clients établis pour leur offrir de l'assurance-groupe.

Le gérant local était le fils du directeur de l'agence. Il a appelé son père qui a décidé d'établir ce nouveau service et on en a confié le développement à Bill.

Ceci se passait il y a trente ans. Depuis deux ans, Bill s'est retiré de son emploi de vice-président responsable des assurances-groupes. Il avait construit au cours de cette période un département qui avait assuré les plus grandes corporations du pays.

Récemment, Bill et moi avons discuté de ce jour pluvieux passé devant le foyer. Il m'a avoué que c'est la carte aux trésors qui a clarifié ses rêves et que s'il n'avait pas écrit et s'il ne s'était pas identifié à son but, il ne l'aurait jamais réalisé.

Quand un but est établi dans notre esprit, les étapes nécessaires à sa réalisation suivent.

La carte aux trésors s'applique pour n'importe quel but, tangible ou non. Elle nous permet de visualiser les choses que nous voulons voir se réaliser. J'ai connu des gens qui ont trouvé la maison qu'ils avaient collée sur leur carte aux trésors. La méthode fonctionne aussi très bien pour une automobile, un article de collection, les antiquités, presque tout ce que vous voulez imaginer.

Si vous désirez quelque chose d'intangible comme l'instruction universitaire, vous pouvez prendre des images d'un campus dans lequel vous vous verrez terminant vos études. Si votre désir est la notoriété dans une profession, vous pouvez découper l'image d'un médecin par exemple, ou si votre désir est de devenir avocat ou juge, vous pouvez découper la vignette d'une salle d'audience avec des juges et des avocats professant. Si vos aspirations sont d'ordre spirituel, des scènes de cîmes montagneuses enneigées, des scènes de nuages, de tout ce qui peut élever l'âme peuvent vous aider.

L'idée est de donner vie à votre enthousiasme et à votre visualisation en faisant des buts une sorte de jeu. La carte aux trésors est une excellente façon d'y arriver.

La technique de VIVRE son rêve

Si vous pouvez posséder votre but mentalement et vivre mentalement dans le décor de sa réalisation, vous avez fait un grand pas vers le résultat escompté. Quand Abraham et Loth ont décidé d'aller chacun de leur côté, le Seigneur a dit à Abraham:

«*Lève les yeux et regarde de l'endroit où tu es, vers le Nord et le Midi, vers l'Orient et l'Occident. Tout le pays que tu vois, je le donnerai à toi... Debout! Parcours le pays de long en large, car je te le donnerai.*» *(Genèse 13: 14, 15, 17)*

Voilà ce qu'il faut. Il faut arpenter le domaine de nos rêves jusqu'à ce que nous les possédions en esprit.

C'est exactement ce qu'a fait une jeune femme en quête d'un emploi récemment. Elle m'a écrit cette merveilleuse lettre qui, je crois, illustre bien la technique qui consiste à vivre nos rêves:

Partagez ma joie! Je commence demain mon emploi idéal, une matérialisation étonnante.

Mercredi dernier j'étais interviewée pour cet emploi. On m'a dit qu'on me donnerait des nouvelles vendredi. Cet emploi exige que je sois au travail à 7 heures. Donc, pendant trois jours, je me suis levée à 4 heures 45 et à 6 heures 40 j'ai quitté la maison, j'ai roulé jusqu'au bureau et imaginé que je déverrouillais la porte, allumais les lumières, préparais le café, vidais les paniers, etc. De retour à la maison, j'ai tapé à la machine comme si c'était mon travail. Dimanche, j'ai prétendu avoir comme tâche des photos à prendre (ce qui devrait faire partie de mon travail). Suivant cette attribution, je suis allée photographier un édifice dont je voulais depuis longtemps avoir la photo.

La seule personne que j'ai mise au courant est un ami qui, je le savais, comprendrait. Samedi midi, je sentais que la décision était prise en ma faveur. J'étais capable de m'imaginer d'une façon très réelle remplissant cet emploi.

Ce matin, «je suis retournée au travail», comme je le faisais depuis les derniers jours. A 8 heures 30, Monsieur P. m'a téléphoné pour me demander quand je pouvais commencer. Je lui ai dit: demain. Tout est réglé. C'est le plus beau jour de l'année!

Oui, elle a obtenu un emploi et ce n'était que le début car cela annonçait une série complète de buts qui se matérialisaient dans sa vie.

Attention où vous marchez, certains rêves sont des cauchemars.

Il est important de discerner ce que nous voulons de la vie, parce que les idées que nous entretenons ont une tendance très forte à se réaliser.

Vous êtes-vous déjà imaginé engueulant le patron, pour vous retrouver ensuite le faisant réellement sans l'avoir vraiment voulu? Vous êtes-vous déjà imaginé pendant les heures d'insomnie rendant l'injure pour l'injure, et poursuivant une longue querelle avec quelqu'un pour ensuite vous retrouver dans la réalité jouant le même rôle et sachant bien que c'est la mauvaise chose à faire? Le subconscient n'a pas le sens de l'humour. Il a pris votre scénario au sérieux.

Beaucoup d'accidents sont le résultat d'une imagination craintive qui a recréé constamment les circonstances de l'événement dramatique. Le pauvre Job disait: «Ce que je craignais le plus est arrivé, et ce qui me faisait peur s'est abattu sur moi». Il serait bon quand on imagine des choses pour l'avenir de se demander: «Est-ce vraiment quelque chose que je veux vivre un jour?»

Chapitre VIII
TECHNIQUES POUSSÉES POUR LA RÉALISATION DES BUTS

La technique de l'autodétermination

Le mot signifie: *Action de décider par soi-même.* Cette technique est l'art de ne pas être influencé par les autres. Ceci implique que nous atteignons nos buts sans attendre des autres aucun encouragement. Par l'autodétermination, nous prenons en main notre vie et nos affaires. Nous avons le courage de nos convictions.

La volonté.
Comment la volonté s'insère-t-elle dans l'idée de l'accomplissement des buts?

L'autodétermination et la volonté vont de pair quand on veut atteindre des buts. Je ne veux pas dire qu'il faut imposer notre volonté à la vie. Nous utilisons la volonté pour fixer notre attention sur nos buts. Une force tend à repousser nos buts toujours plus loin, mais la persistance à garder notre attention sur nos buts, comme s'ils étaient déjà atteints en imagination est la vraie clé. Dans notre imagination nous pensons aux résultats désirés; c'est ainsi que nous imprégnons notre subconscient d'une image et que nous la ressentons comme faisant partie de notre vie. Si nous persistons à penser à nos buts, ils nous semblent moins lointains, nous les percevons comme déjà accomplis. Nous les protégeons du doute, de la peur et de l'anxiété, ou de toutes pensées négatives jusqu'à ce qu'ils se réalisent.

Le rôle de l'autodétermination est la persévérance, la persistance et la concentration. C'est une façon efficace d'utiliser notre volonté.

NE LÂCHE JAMAIS

Quand les choses vont mal, de temps en temps,
Et que la route va toujours en montant,
Quand les fonds sont bas et les besoins hauts,
Et que le sourire tenté se fige tout beau,
Quand le souci te déprime un tantinet,
Repose-toi, si tu veux, mais ne lâche jamais!

C'est une drôle de vie, avec ses tours et détours,
Chacun de nous, mon vieux, l'apprend à son tour.
Et plus d'un a failli en lâchant
Quand il eût suffi de tenir un autre moment.
Tire encore un peu, crampe le jarret,
Peut-être l'emporteras-tu le coup d'après!

Le succès, c'est la faillite plus de la patience,
C'est le soleil qui nuages les plus noirs argente;
Et nul ne saurait dire combien on l'approche,
Juste au moment où tout accroche;
Reste donc dans la lutte, même si durement frappé
C'est quand ça va le plus mal qu'il ne faut pas lâcher.

AUTEUR INCONNU

La valeur de la concentration.

Vous voyez pourquoi il est si important d'avoir un objectif. Bien des gens ne réalisent jamais leurs buts parce qu'ils n'ont jamais décidé de viser tel résultat précis. Ils prennent ce qui se présente sans jamais se fixer de buts. Il ne s'agit pas que de désirer, mais de concentrer son attention sur la réalisation d'un but. Il faut de la discipline et de la persévérance. Quiconque est prêt à payer le prix peut atteindre ses buts.

La technique de l'enthousiasme émotif.

Ralph Waldo Emerson a déjà dit: «Rien de grand n'a jamais été accompli sans enthousiasme».

Tout le monde est relié par une ligne directe à la *Source du Pouvoir Infini*. L'enthousiasme nous branche sur ce *Pouvoir*. Le mot enthousiasme signifie *inspiration divine,* de la racine *en theos,* en Dieu.

L'enthousiasme est étroitement lié au but. Perdre son enthousiasme pour un but, c'est généralement rater ce but. L'enthousiasme est cette sensation profonde d'avoir été saisi par le pouvoir de la Vie elle-même. Sans cet état d'âme, aucune réalisation n'est possible. La perte de l'enthousiasme est suivie d'une détérioration mentale et physique. C'est la qualité émotive d'un désir qui détermine jusqu'où ira ce désir dans son processus de réalisation. Pour accomplir un but, on doit maintenir un enthousiasme doublé de sentiments. L'optimisme est l'attente de ce qui est bon. Associé à l'enthousiasme, il garantit la réalisation de n'importe quel but.

N'avez-vous jamais eu une idée qui semblait fantastique à l'époque, peut-être était-ce une invention ingénieuse, un nouveau commerce, quelque chose qui aiderait l'humanité? Pendant une semaine vous bouillonniez. Et puis, vous avez pensé au travail que ça impliquait, aux années d'effort qu'il faudrait pour y arriver. Votre rêve s'est alors vidé de quelque chose: votre enthousiasme. Et après un certain temps il est tombé dans l'oubli. Quand vous avez perdu votre enthousiasme, vous avez aussi perdu le pouvoir de mettre votre idée en marche. Le but est resté embryonnaire, puis est mort-né.

Chaque entreprise qui a réussi a débuté par un rêve nourri d'enthousiasme. Le truc est de ne pas laisser filer l'enthousiasme. Récemment, j'assistais à une réunion dans la salle de bal d'un grand hôtel. Il y avait 4 000 personnes. Attaché à chaque chaise, il y avait un ballon gonflé à l'hélium. C'était un spectacle merveilleux et plein de couleurs, 4 000 ballons qui montaient vers le plafond. On projetait de les apporter sur la grande place de l'hôtel le lendemain matin et de les lâcher en masse dans le ciel bleu, comme une féerie flottant sur la ville de Chicago. Quel spectacle fantastique on attendait! Quelle impatience jusqu'au lendemain matin! Mais une grande déception nous attendait à la réunion du lendemain. L'hélium s'était partiellement échappé des ballons. Ils avaient perdu leur enthousiasme.

Joseph M. Segel est un enthousiaste. En 1964, il a eu l'idée de fonder la *Franklin Mint* pour frapper des pièces de monnaie commémoratives et des médailles. C'était nouveau et il a dû relever beaucoup de défis, surmonter beaucoup d'obstacles, mais son enthousiasme l'a poussé en avant et s'est communiqué à son entourage. Aujourd'hui, son entreprise est une réussite et son succès est d'abord dû à l'enthousiasme et à la vision de cet homme. Son succès lui vient de ce que non seulement il n'a pas perdu son enthousiasme, mais il a su le partager avec son entourage. Récemment, il a dit:

«*Le succès de la Franklin Mint, c'est sa philosophie. Nous ne cherchons pas d'idées périmées. Nous visons à en créer de nouvelles. Nous ne regardons pas en arrière. Nous envisageons un avenir excitant et vivifiant. Un avenir qui implique tout le monde associé à la Franklin Mint; sculpteurs, graveurs, opérateurs de presse, emballeurs, ingénieurs et collectionneurs. Ce sont les gens qui font la force particulière de la Franklin Mint.*»

Il n'y a pas longtemps, je mangeais dans un petit restaurant où les tables sont contiguës et je n'ai pu m'empêcher d'entendre la conversation de deux hommes à la table voisine. Un était heureux, en santé et positif; on devinait facilement qu'il aimait la vie. Il avait *des pattes d'oies joyeuses* aux coins des yeux. Débordant d'exubérance, il parlait de son métier de professeur. Ses élèves, tout comme lui, semblaient très enthousiasmés du programme. Il avait deux emplois à mi-temps comme précepteur, mais il ne se sentait pas surchargé le moins du monde. Tout allait bien. Il était détendu et jouissait pleinement de la vie. Je me sentais heureux seulement à le regarder.

L'autre homme résistait à la vie sur toute la ligne. Il ne pouvait obtenir de travail, quelque chose clochait dans tout ce qu'on lui avait proposé. Je n'ai jamais vu un homme aussi nerveux, plein de tics. Il était maigre, cadavérique, véritable caricature du genre.

Je n'ai pû m'empêcher de penser que le premier homme laissait s'imprégner le potentiel divin en lui. Il s'était engagé dans la vie. Il était jeune, enthousiaste, et on sentait qu'il irait loin. L'autre homme avait peur de la vie, et c'est pourquoi il avait l'esprit si critique face à tout. Parce qu'il avait peur de la défaite, de la critique, il croyait que la vie était contre lui. Alors, il embouteillait son potentiel divin. J'aurais aimé lui dire qu'il suffisait d'un changement d'attitude, d'un peu d'enthousiasme, et d'un but dans lequel on croit pour opérer une transformation dans sa vie.

La technique de l'auto direction.

C'est la façon dont nous utilisons notre esprit conscient qui détermine la maîtrise que nous aurons sur notre vie.

C'est l'esprit conscient qui dirige. C'est là que nous choisissons le genre de pensées qui servira de moule pour notre vie future.

Vous êtes le centre, tout se ramifie à partir de vous. Vous choisissez la direction. Tout se passe dans la pensée, votre pensée. Vous choisissez votre orientation. Ce peut être vers le succès ou l'échec. À vous de décider. C'est un processus intérieur qui peut vous apparaître sans importance, mais quand vous verrez l'effet que l'auto direction a sur votre vie, vous aurez beaucoup de respect pour cette technique.

Vous seul pouvez donner des ordres à votre subconscient. Ce que les autres pensent de vous ou acceptent pour vous, n'a d'effet que si vous l'acceptez pour vous-même. En changeant vos pensées, vous changez votre réalité. La chose la plus importante que vous puissiez apprendre dans votre vie, c'est que vous seul choisissez vos pensées et que vos pensées forment votre univers.

Comment l'auto direction négative
peut vous vaincre

La plupart des gens sont victimes de l'accomplissement de leurs propres prophéties, écrit Ronald Kotulak dans un article du Chicago Tribune. Et il ajoute: *Si vous vous êtes déjà dit qu'il y avait quelque chose que vous ne pouviez faire, ou que vous saviez que vous échoueriez, ou que ça ne servirait à rien d'essayer, alors vous aidiez vos prophéties d'échec à se réaliser.*

Pour appuyer ses propos, il cite Thomas Dolgoff, professeur en administration de la santé mentale à l'Ecole de Psychiatrie Menninger de Topeka, Kansas: *La théorie de l'accomplissement de vos propres prophéties tient du fait que les gens ont tendance à faire ce qu'on attend d'eux et que même une fausse attente peut déclencher un comportement qui la fait sembler vraie. Le fait de croire qu'une chose quelconque va arriver peut effectivement la provoquer.*

Un exemple d'auto direction

Elle rêvait depuis vingt ans de faire un voyage à Hawaii. Combien de fois avons-nous tous rêvé d'un tel voyage, mais n'avons fait aucun pas vers ce but. Nous nous sommes trouvé beaucoup d'excuses: trop dispendieux, pas le temps, impossible de quitter le bureau ou la maison, etc. Nous n'avons pas osé croire en un tel but.

Récemment, une dame qui a décidé d'essayer mon système de buts m'a écrit:

Pendant vingt ans j'ai rêvé et désiré faire un voyage à Hawaii, mais je n'ai jamais pu. La semaine dernière j'ai écrit ce but, avec la certitude de sa réalisation et remplie de gratitude. *Hier soir, mes employeurs m'ont annoncé que la compagnie avait gagné un voyage de huit jours à Hawaii, toutes dépenses payées, et ils voulaient que ce soit MOI qui y aille.*

C'est la première fois en vingt-cinq ans qu'on offre un de ces voyages à une femme. Ce ne peut être que la réponse de Dieu à mon rêve et désir. Je suis tellement reconnaissante. Ma vie entière est transformée depuis que je connais votre fondation, toute ma façon de penser est changée.

Pendant vingt ans Vera a cru qu'il lui était impossible d'aller à Hawaii, mais quand elle a écrit son but, elle lui a donné de la consistance, une direction. Une direction autonome. En remerciant, elle a accepté son but dans son esprit et plus rien ne pouvait entraver la réalisation du but.

Si vous pensez que vous êtes battu, vous l'êtes.
Si vous pensez que vous n'osez pas, vous n'oserez pas.
Si vous voulez gagner, en pensant ne pas le pouvoir,
Il est presque certain que vous ne le pourrez pas.

Si vous croyez que vous allez perdre, vous êtes vaincu.
Parce qu'au-delà de l'existence, nous découvrons,
Que la volonté d'une personne engendre le succès,
Tout dépend de son état d'esprit.

Si vous croyez que vous êtes inférieur, vous l'êtes.
Vous devez penser grand pour vous élever.
Vous devez avoir confiance en vous,
Avant même de gagner un prix.

La dure bataille de la vie
Ce ne sont pas toujours les plus forts
Ni les plus rapides qui la gagnent,

Mais l'homme qui tôt ou tard remporte la victoire
Est celui qui pense qu'il en est capable.

Walter D. Wintle

Qualité du leadership -
Fixer des buts pour un groupe

Un chef est une personne qui s'en va quelque part, mais pas seul, disait Walter MacPeek. Il amène d'autres personnes avec lui. Son talent réside dans l'art de créer des situations dans lesquelles les gens voudront le suivre et aimeront travailler avec lui. Le leadership est un talent précieux fait de plusieurs qualités: prévenance, considération pour les autres, enthousiasme, habileté à partager des responsabilités avec les autres et une multitude d'autres traits. Mais fondamentalement, un leader c'est celui qui dirige, quelqu'un qui a un plan. Quelqu'un qui se dirige sans déroger vers un but, vers un objectif à réaliser. Il poursuit sa route avec un tel enthousiasme que les autres sont heureux de cheminer avec lui.

La marque d'un bon leader, c'est la persuasion qui le rend capable de former un groupe et de le motiver à la poursuite d'un but commun.

Faites de vos buts, leurs buts

Je vais laisser Robert Levinson, un homme d'affaires remarquable, vous donner quelques sages conseils à ce sujet:

Comme tout leader le sait, même si vous êtes très brillant, vous trouverez très difficile de faire des progrès significatifs dans votre plan de carrière sans la cordiale coopération et l'entier appui de votre groupe.

Voici ce que disait Sam Johnson, il y a deux siècles: «Aucun degré de connaissance qu'un homme puisse atteindre ne peut le placer au-dessus de l'aide qu'un autre puisse lui apporter». C'est aussi vrai aujourd'hui.

Vous ne pouvez pas vous en tirer seul. Vous avez besoin d'aide. Il s'agit d'amener vos gens à adopter vos buts comme les leurs et à travailler à leur réalisation, avec autant de vigueur et d'enthousiasme que vous.

Agissez de la sorte et vous incarnerez l'essence même du management.

Voici une pensée intéressante. L'automobile que vous conduisez et les gens que vous dirigez ont beaucoup en commun. Bizarre? Pas du tout! D'une certaine façon, les gens qui travaillent pour vous sont votre moyen de transport. **Vous pouvez vous appuyer sur eux pour arriver où vous voulez dans vos affaires et dans votre champ d'activité,** *tout comme vous dépendez de votre automobile pour vous déplacer.*

Poussons plus loin ce parallèle. Pour qu'une automobile roule bien, sans panne d'aucune sorte, vous la maintenez en bon ordre, vous lui prodiguez toutes sortes de soins: graissage et plein d'essence. Il en va de même pour vos employés. Vous voyez à ce qu'ils soient bien entraînés, bien informés, bien guidés. Vous faites le plein de motivation qui leur inspirera de faire ce que vous voulez qu'ils fassent, de la manière dont vous le voulez.

Visez le même objectif

Arthur Sulzberger a déjà écrit: On a dit que la Reine Victoria ne regardait jamais où se trouvait sa chaise avant de s'asseoir. *Elle* **savait** *qu'elle serait au bon endroit. Dans une équipe, il n'y a pas de substitut à la confiance qu'on fait aux coéquipiers.*

Spécialement dans une équipe de management. Le directeur est l'homme de confiance par excellence. Il définit clairement les buts en terme de profit. Il voit à ce que tout le monde vise le même but.

En d'autres mots le directeur avisé cherche à s'entourer de personnes qui par leurs aptitudes et leur instinct des affaires seront pour lui des compléments et des compliments.

Pas de copies au carbone!

Attention! Cette complémentarité n'a rien à voir avec un à-plat-ventrisme dépersonnalisé de la part de votre personnel. Ce que recherche le directeur avisé, c'est l'unanimité par rapport aux objectifs, non par l'uniformité au plan des méthodes.

Pourquoi certains buts de groupe ne se réalisent pas

Un journaliste à la retraite du San Diego Union se rappelait récemment qu'il avait écrit un article sur le choix de Lindbergh Field comme emplacement pour l'aéroport de San Diego. Cet article a été publié à la naissance de son fils qui termine en ce moment ses études secondaires. San Diego est un bel exemple de but commun où le désaccord a toujours prévalu. Le but, en l'occurrence, est de trouver un lieu qu'on adoptera pour y ériger les installations aéroportuaires de la ville. La ville a besoin d'un nouvel aéroport. Sur ce point tout le monde est d'accord. Celui qu'on a est trop petit et il est situé au coeur de la ville. Les avions à réaction ne peuvent atterrir et on ne peut agrandir. Plusieurs endroits ont été suggérés. Plusieurs étaient adéquats. Toutefois, personne ne s'accorde sur le nouvel emplacement. Personne ne veut l'aéroport dans son district. Tous les propriétaires s'accordent à dire qu'il faut un nouvel emplacement, mais personne ne le veut près de sa propriété.

Un groupe est composé d'individus, souvent d'individus orientés vers des objectifs différents. C'est pourquoi il est si difficile d'accomplir quoi que ce soit quand il s'agit de politique. Il doit y avoir un commun accord avant d'atteindre un but. Il faut un bon leader pour convaincre un groupe d'individus à aspirer à un même but.

Parfois, une guerre semble servir de motivation pour consolider un groupe. Par exemple, pendant la Deuxième Guerre mondiale, l'Angleterre a atteint des buts de manière miraculeuse sous le leadership de Winston Churchill.

Les États-Unis, pendant les deux Guerres mondiales on eu un ennemi commun et un but commun. Ils ont été victorieux. La guerre du Vietnam a été un fiasco parce que les Américains n'avaient pas comme but commun la victoire. Il faut aller plus loin qu'un accord verbal sur un but commun, il faut qu'une volonté ferme de triompher crée la solidarité du groupe. La présence d'un leader est nécessaire, de même que l'assentiment général face à son leadership. Comme le disait un jour Ayn Rand: «Un conseil d'administration est l'ombre de la personnalité la plus forte au sein de ce conseil».

Tous les leaders apprennent tôt ou tard, que vous ne pouvez pas fixer des buts pour les autres et croire qu'ils vont travailler avec vous, mais vous pouvez amener les gens à partager vos buts et à travailler avec vous à leur réalisation.

Le mot clé de la réalisation des buts - MAINTENANT!

Beaucoup de gens ne réalisent pas leurs buts parce qu'ils pensent au futur: demain, je ferai ces appels téléphoniques; l'an prochain, je vais atteindre mes quotas; dans dix ans je serai à l'aise. Et demain ne vient pas. L'année prochaine est toujours à venir. Les buts sont comme la carotte au bout du bâton qui fait courir l'âne. Quelle que soit la vitesse à laquelle ils courent, le but reste toujours devant eux, hors d'atteinte. C'est pourquoi je vous dis: LE SECRET C'EST D'UTILISER LE MOT CLÉ: MAINTENANT!

Ce principe exige qu'on utilise le présent quand on se fixe des buts. Le but doit être accepté dans l'esprit *maintenant*, pas demain ou dans tout autre temps futur. Il y a un temps pour les semences et un temps pour les moissons. Il y a un temps pour se fixer des buts et un temps pour voir leur matérialisation. Il y a un temps pour travailler et un temps pour se reposer. Toute chose se réalise et se manifeste à nous en son temps, et nous lui préparons la voie en pensant *maintenant*.

Le fait de penser *maintenant* précipite le temps et souvent le résultat attendu arrive plus vite. Vera, dont nous avons parlé antérieurement, a matérialisé en une semaine son rêve de vingt ans d'aller à Hawaii. C'est un bon exemple de ce qui peut arriver quand on accepte la réalisation d'un but maintenant.

Jésus pensait en terme de *maintenant*. On a dit que la langue araméenne (la langue de Jésus) s'exprimait seulement au présent. Le *Notre Père* nous a été donné au temps présent. Jésus disait à ceux qui le suivaient: «Tout ce que vous désirez, quand vous priez, croyez que vous le recevez et vous êtes exaucés». Fixez-vous des buts et puis créez l'image que vous les recevez. Et au moment propice ils se réaliseront. C'est ce qui explique que nos petits buts sans grandes conséquences se réalisent si vite. Nous n'élevons pas les mêmes barrières d'incroyances entre eux et nous.

Si votre but est d'emménager dans une nouvelle maison, ne déménagez pas dans la rue, mais imaginez-vous vivant dans votre nouvel environnement, l'environnement idéal. Vous serez surpris de voir à quelle vitesse tout va se mettre à travailler pour que vous réalisiez votre but.

Si votre but est de gagner de l'argent, n'allez pas dépenser ce que vous n'avez pas encore, mais imaginez-vous ayant l'argent en votre possession. Voyez-le dans votre carnet de banque. Imaginez-vous payant vos factures.

Chaque année dans notre Fondation, vous avons ce que nous appelons: *le programme des revenus de surcroît*. Les gens travaillent à ouvrir leur esprit pour recevoir leur approvisionnement de façons inattendues. Et ils réussissent. Les nombreuses lettres que je reçois en sont la preuve. Les gens ont des idées lumineuses et ils en sont surpris. Les résultats me semblent fantastiques - des tableaux qui se vendent - des manuscrits qui se vendent - des héritages inattendus qui semblent venir de nulle part. C'est une question d'ouvrir notre esprit à recevoir MAINTENANT.

Tous les buts doivent être acceptés dans l'esprit comme étant déjà accompli et cela avant même leur réalisation extérieure.

Le docteur Maxwell Maltz a écrit dans *Psychocyberne-tics: Votre mécanisme interne du succès doit avoir un but ou une cible. Ce but ou cet objectif doit être conçu* **comme étant déjà existant,** *sous forme réelle ou potentielle. Le mécanisme opère soit en vous amenant à un but déjà exis-tant, soit en vous faisant découvrir quelque chose qui existe déjà.*

Le mécanisme automatique est téléologique, c'est-à-dire qu'il fonctionne quand on le met en présence d'un résultat final, d'un but. Ne vous laissez pas décourager du fait que les moyens pour l'atteindre ne sont pas apparents. C'est la fonction du mécanisme automatique de fournir les moyens quand vous lui fournissez un but. Pensez en termes de résultat final, et les moyens d'y arriver vont souvent se présenter d'eux-mêmes.

Chapitre IX
L'IMAGINATION CRÉATRICE FAIT DES MIRACLES

William Blake a sûrement choqué les gens quand il a parlé de l'imagination comme si elle était divine: *Sans repos je m'affaire à ouvrir les mondes éternels, à ouvrir les yeux immortels de l'homme vers l'intérieur sur les mondes de la pensée: sur l'éternité qui va s'élaborant sans cesse au sein de la Divinité, MOI, l'imagination humaine.*

C'est effectivement une approche différente de la divinité, mais qui mérite notre attention car elle ouvre un champ nouveau au progrès de l'humanité. C'est par l'imagination créatrice que l'homme passe du connu à l'inconnu et il en sera toujours ainsi. La plus belle toile n'a pas encore été peinte, la plus magnifique oeuvre littéraire n'a pas encore été écrite, la plus harmonieuse musique n'a pas encore été composée, la plus grande invention n'a pas encore été mise au point. C'est à travers l'imagination créatrice que nous parvenons à provoquer l'expansion de la conscience en l'alimentant d'idées pour la conquête du monde invisible de la science, de la connaissance, de la culture et de la compréhension humaine et spirituelle. L'imagination créatrice vous indique la direction à prendre.

L'imagination créatrice est l'outil le plus dramatiquement merveilleux que la vie nous ait donné. C'est par elle que Dieu fait de l'homme un instrument de création. William Blake l'avait bien compris; bien qu'il ait été sans le sou, il a créé avec le pinceau et la plume, des oeuvres d'art qui sont sans prix et au-delà de toute comparaison. Puisque toute personne est unique, son utilisation de l'imagination créatrice est incomparable. C'est pourquoi Emerson a écrit *L'imitation est un suicide*. Quand on imite quelqu'un d'autre, on se renie. Vos buts doivent être vos propres buts.

L'imagination créatrice forme le moule par lequel le processus créatif de la vie travaille à la production de l'univers visible. Ce que l'homme peut imaginer, l'homme peut le réaliser.

L'usage adéquat de l'imagination créatrice

Tout le monde est doté d'imagination créatrice. L'imagination créatrice c'est l'utilisation de l'imagination de manière créatrice en fonction de ce que nous attendons de la vie, plutôt qu'en fonction de ce que nous ne voulons pas. Nous utilisons tous la faculté mentale qu'est l'imagination, mais plusieurs d'entre nous l'utilisent de manière erronée, nous imaginant pauvres, malheureux, seuls ou souffrant d'un manque quelconque. Toutes les expériences de la vie, heureuses ou malheureuses ont d'abord existé en esprit. Notre vécu vient des images mentales que nous avons entretenues. Nous n'avons pas le choix voyez-vous: si nous voulons un jour connaître le bonheur, il nous incombe de comprendre le fonctionnement de l'imagination créatrice. Autrement dit, nous influençons notre esprit d'idées que nous ne voulons pas récolter. Citons à nouveau Job: *Ce que j'ai craint m'est arrivé, et ce qui m'effrayait s'est abattu sur moi.*

L'Imagination nous devance
pour préparer le chemin

Albert Einstein a déjà fait cette remarque: «L'imagination est plus importante que la connaissance». Pourquoi considérait-il l'imagination comme si importante? La connaissance travaille avec ce qui fait déjà partie de notre expérience. Il n'y a rien de néfaste dans la connaissance, mais plus nous apprenons, plus il y a à apprendre. En conséquence, l'esprit nous pousse à toujours avancer. L'imagination, elle, nous précède et prépare la voie. Elle nous amène au royaume de l'inconnu où nous pouvons utiliser nos connaissances. L'imagination c'est une incursion de l'esprit dans la nouvelle expérience.

Ralph Waldo Emerson a écrit: *La science ne connaît pas sa dette envers l'imagination.* Et c'est très vrai. Que serait-il advenu de l'avion si les frères Wright n'avaient pu imaginer leur petit avion quittant le sol? Ils ont dû imaginer et croire que c'était possible. C'est seulement à ce moment qu'ils ont pu avancer dans leur projet et régler les détails.

Aucune invention ne s'est réalisée
sans l'imagination créatrice

Tous les grands inventeurs ont utilisé l'imagination créatrice. Prenons comme exemple une des plus grandes inventions de tous les temps: l'égreneuse de coton. L'inventeur qui était un diplômé de l'Université Yale aimait beaucoup bricoler. Après la collation des diplômes il a été invité à Savannah en Georgie, pour visiter la demeure de Nathaniel Green, un général de la Guerre de Sécession. Pendant son séjour, quelqu'un lui a fait remarquer à quel point il était difficile d'égrener le coton. Avez-vous déjà essayé d'enlever les graines des fibres du coton? C'est long et difficile; on le faisait manuellement à cette époque et il fallait plusieurs minutes pour démêler une seule petite graine.

Eli Whitney, ce jeune homme, songea qu'il y avait sûrement une solution à ce problème. Et il se mit à chercher la réponse. Il imagina d'abord la graine séparée du coton. En d'autres termes, il sema l'idée dans son esprit et bientôt il commença à voir que ça pourrait se faire très simplement. En quelques jours, il avait fabriqué un dispositif qui nettoyait en un jour 25 kilos de coton. Une réalisation qui tenait du miracle pour les gens de l'époque. Eli Withney avait 24 ans. Enthousiasmé par sa victoire, il est retourné chez lui et il a monté une usine qui fabriquerait sa machine. Pendant des années, il ne parvenait pas à remplir toutes les commandes, tant la demande était forte. Quand l'imagination dirige et que la persistance suit, le but se réalise.

Les nombreux usages de l'imagination créatrice

Nous ne choisissons pas tous de devenir des inventeurs. Mais nous pouvons utiliser l'imagination créatrice de diverses manières. Chaque élément de la vie qu'on voit autour de nous a d'abord été une idée dans l'esprit. Au début d'un enchaînement de pensées, au début de la chaîne de causalité mentale, il a fallu l'élan initial, un point d'origine. La chaise sur laquelle vous êtes assis a d'abord été une idée dans l'esprit de quelqu'un. Cette idée a été traduite en une image visuelle dans l'esprit de cette personne. De cette image a surgi l'expression finale matérielle de cette idée. C'est pourquoi je vous dis: travaillez en esprit à partir de la fin et non du commencement. Cela peut vous paraître étrange parce qu'on vous a dit de partir d'où vous êtes avec ce que vous avez. En fait, nous disons la même chose, parce que vous partez exactement où vous êtes avec ce que vous avez. Mais qu'AVEZ-VOUS? Tout est là. Vous avez l'image de la chaise comme produit fini. Et c'est là qu'il faut commencer.

Quel que soit l'objet de votre désir, quand vous vous tournez vers la Source intérieure, croyez que vous le recevez, acceptez-le consciemment, et vous l'aurez. Il se manifestera dans votre vie. Il s'agit là d'une loi. L'homme peut accomplir tout ce qu'il est capable de concevoir dans son esprit, d'assumer consciemment, d'espérer en toute confiance et d'accepter comme une réalité dans son vécu actuel. L'univers ne fixe pas de limites. Nous les fixons par notre foi en nous-mêmes.

Les sports et l'imagination créatrice

L'imagination créatrice est une activité mentale qui sert d'instrument puissant pour réaliser le bien. Cet instrument est utile dans plusieurs domaines. Par exemple, le golf. J'ai lu dans un article d'Arnold Palmer quelque chose en relation avec cette idée:

Potter au golf, exige une attitude positive. Une attitude négative amène de la tension et détruit votre style. Pour plus d'assurance, imaginez la balle qui suit la trajectoire vers la coupe. Faites ceci en regardant la coupe, puis revenez à la balle en gardant cette image en tête et fixez votre regard à l'arrière de la balle, puis frappez-la simplement de façon à ce qu'elle suive cette trajectoire que vous avez dans votre esprit.

L'imagination créatrice peut faire de vous un meilleur golfeur.

Le but à court terme est de placer la balle dans la coupe. Par l'imagination créatrice, le golfeur trace mentalement une trajectoire à la balle. Il a confiance en cette ligne et la suit. Le but escompté est de gagner le tournoi. Drôle de coïncidence, plusieurs joueurs ont le même but mais tous ne peuvent remporter la victoire; il n'y aura qu'un gagnant. En appliquant la méthode des buts, on ouvre la porte à la matérialisation d'une victoire pour soi.

Tous n'ont pas le désir de gagner

Un jeune professionnel du golf racontait dans une entrevue, que la plupart des joueurs professionnels ne visaient pas la victoire. Leur but était de se qualifier et de toucher une part de la bourse offerte. Et il ajoutait que plusieurs avaient peur de la publicité; ils n'aimaient pas faire face aux caméras de télévision, aux reporters et au public. Plusieurs ne peuvent s'imaginer dans cette situation. Il y en a qui jouent très bien dans les premiers circuits et qui s'effacent ensuite parce que leur imagination créatrice n'est pas encore en état de concevoir une victoire. Toutefois, les Nicklaus, Miller et Green sont déçus quand ils ne gagnent pas. Ils s'inscrivent au tournoi avec l'intention de gagner c'est leur but.

L'imagination créatrice et l'esprit universel

Dans *Creative Mind and Success* (L'esprit créateur et le succès) par Ernest Holmes sous la rubrique Utilisez votre imagination, on peut lire:

Imaginez que vous êtes entourés par l'Esprit, si flexible et réceptif qu'il est imprégné par votre moindre pensée. Quelle que soit votre pensée, il la prend et l'exécute pour vous. Chaque pensée est reçue et mise en oeuvre. Toutes vos pensées. *Quel que soit le modèle que nous fournissons, il en assurera la matérialisation. Si nous ne pouvons surmonter la pensée que nous sommes pauvres, nous le resterons. Aussitôt que nous deviendrons riches dans nos pensées, nous le deviendrons dans la réalité. Ce ne sont pas là que des mots, mais la vérité la plus profonde. Des centaines de milliers de penseurs et les gens les plus spirituels le prouvent. Il ne s'agit pas d'une illusion, mais d'une réalité. Ne prêtez pas attention aux gens qui ridiculisent ces idées pas plus que vous ne prêtez attention au vent qui souffle. Dans votre âme, choisissez ce que vous voulez devenir, ce que vous voulez réaliser, puis gardez-le pour vous-même. Et dans le silence de l'absolue conviction, SACHEZ, tous les jours, que c'est accompli, en ce qui vous concerne, comme ce le sera un jour extérieurement. Imaginez que vous êtes ce que vous voulez être. Ne voyez que ce que vous désirez, refusez de penser au reste. Croyez-y ne doutez jamais. Dites plusieurs fois par jour «Je suis ceci ou cela» et réalisez ce que cela signifie. Parce que cela signifie que le grand Pouvoir Universel de l'Esprit EST cela, et il NE PEUT ÉCHOUER.*

Élargir nos options par l'imagination créatrice

Par l'imagination créatrice, nous pouvons élargir l'éventail des possibilités dans la sélection de nos buts, plutôt que de nous limiter aux plus évidents. Tout en élargissant notre état de conscience, nous multiplions le champ de nos possibilités. Nous évoluons en passant du connu à l'inconnu. C'est cela même que nous accomplissons par l'imagination créatrice.

L'imagination créatrice est un élément actif dans la philosophie de l'image de soi. Quand on s'imagine plus créatif et plus expressif, on voit grandir ses attentes, et du même coup ses réalisations. L'architecte qui pense un édifice doit ouvrir son esprit à toutes les possibilités qui pourraient être avantageuses pour son client. Son imagination créatrice est au travail. Un architecte est plus qu'un constructeur, il est un artiste créateur et imaginatif. Ses réalisations artistiques deviennent des édifices fonctionnels pour son client.

L'imagination créatrice est-elle limitée à l'image?

L'imagination n'est pas limitée aux images dans notre esprit. Chaque personne a tendance à penser d'une façon unique. Le mathématicien pense en termes de mathématiques, l'artiste en termes de formes et de couleurs, l'écrivain pense en fonction du sujet qui l'intéresse, qu'il soit abstrait ou concret; le fermier pense en termes de semences, de conditions atmosphériques, de moissons. Le programmeur d'ordinateurs est un exemple de personne qui doit utiliser de diverses façons son imagination créatrice; sa pensée doit couvrir plusieurs domaines et ensuite il doit interpréter ces connaissances en données significatives pour un ordinateur.

L'imagination créatrice va au-delà de la rêvasserie

On peut refaire sa vie par la compréhension et l'application de l'imagination créatrice. Par elle, il est possible de transformer l'image que nous avons de nous-même, et l'image du monde dans lequel nous vivons; par conséquent, nous changeons du même coup la manifestation extérieure de ces images.

C'est par l'imagination créatrice que l'homme a progressé de réalisations en réalisations. Les progrès de notre civilisation résultent de l'utilisation de l'imagination créatrice. C'est peut-être pourquoi il est dit dans la Bible: *Quand il n'y a plus de vision, le peuple dépérit.* L'imagination créatrice est l'instrument de la vie pour créer à travers l'homme; elle lui permet de visualiser mentalement ce qu'il veut vivre dans la réalité.

Se fixer des buts, c'est faire usage de l'imagination créatrice.

Beaucoup de gens se fixent des buts à l'intérieur de ce qui a déjà été accompli. C'est une façon sûre de s'y prendre; de cette manière, ils évitent les risques et les pièges d'un voyage en pays inconnu. Ces gens ne seraient pas d'une grande utilité dans une séance où tous soumettent leurs idées en vue de la réalisation d'un objectif.

Il y a un vieux dicton qui dit: *Il faut travailler nos points faibles.* L'imagination créatrice nous oblige à nous dépasser, à nous aventurer dans de nouvelles sphères de créativité. L'imagination créatrice nous ouvre de nouveaux horizons et met plus de piquant dans notre vie.

> *Tu es bien sûr de toi?*
> *Profites-en sur l'heure!*
> *Ce que tu es capable de faire*
> *Ou ce que tu rêves de pouvoir faire,*
> *Commence-le!*
>
> *L'audace éveille le génie,*
> *Elle est puissance, elle est magie.*
> *Ton premier pas c'est toute l'oeuvre en germe:*
> *Commence et ton projet court à son terme!*
>
> - Goethe

Chapitre X
ANÉANTISSEZ CES TRAÎTRESSES BARRIÈRES MENTALES!

Si vos buts vous échappent continuellement, c'est que vous entretenez, selon toute vraisemblance, des barrières mentales sans vous en rendre compte. Ces traîtresses dans votre esprit vous semblent si raisonnables et si familières, comme les amies d'antan avec qui vous avez grandi. Mais chacune est un serpent dans l'herbe plus venimeux que vous ne sauriez l'imaginer. Pour réaliser des buts, vous devrez déraciner ces barrières mentales le plus tôt possible.

Les barrières mentales sont-elles réelles?

La meilleure façon d'approcher ces renégates, c'est de les voir pour ce qu'elles sont: des fantômes dans la nuit, les croquemitaines de vos pensées obscures. Examinons froidement quelques-unes de ces traîtresses:

Je suis trop jeune, je ne peux bouleverser le monde à mon âge.

Je suis trop vieux, ma vie est finie; de toute façon je serai bientôt à la retraite.

Je suis idiot, maladroit, empoté.

Je n'ai pas de charme pour le sexe opposé; je ne fais pas bonne impression.

Je suis lent, je suis bête, je suis dérouté par tout ce qui est nouveau.

Je n'ai pas de mémoire; je ne me souviens jamais des noms et des visages.

Tout ce que j'entreprends est voué à l'échec; je ne suis pas instruit.

Les gens ne me donneront jamais de chance à cause de ma race ou de mon niveau social ou de ma religion, etc.

Je n'ai pas de chance.

Les autres obtiennent toujours les promotions; il semble que je n'ai jamais les bonnes relations.

Soyons honnêtes avec nous-mêmes. Est-ce que ces phrases ont un petit air connu? Si oui, il est très important de nous en débarrasser, parce que c'est ce genre de pensées qui nous empêchent d'atteindre nos buts. Cette façon négative de se fixer des buts est aussi efficace que la façon positive. En dernière analyse, c'est l'image intérieure que nous avons de nous-mêmes qui se concrétise dans la réalité de notre vie. Ces vieux refrains semblent être d'excellentes excuses à nos échecs, *toutefois ces excuses ne sont pas valables.* Ce sont des ennemis dans le camp, mais vous pouvez vous en débarrasser parce qu'*ils existent seulement dans votre esprit.* Ce sont des croyances qui tendent à renforcir nos mécanismes d'échec.

Comment surmonter les barrières mentales

Quand on vit depuis un certain temps dans une maison, on peut oublier l'arrangement des meubles, ne pas porter attention à l'état dans lequel se trouve la maison ou ne plus voir les manques à réparer. Amenez-y un décorateur et tout devient évident comme le nez au milieu du visage. Il verra toutes les améliorations possibles. Certains d'entre nous peuvent être leur propre décorateur d'intérieur, mais cela exige beaucoup d'objectivité.

L'habitation mentale dans laquelle nous vivons ressemble beaucoup à notre maison physique. Elle s'encombre de clichés et de préjugés. Un préjugé, comme le mot l'indique, est un pré-jugement, un jugement antérieur plutôt qu'un jugement actuel. Souvent nous laissons notre gîte mental s'encombrer de limites et de modèles négatifs. La première étape à franchir pour se débarrasser de ces barrières, c'est de les étaler au grand jour et de les examiner. Il faut les voir pour ce qu'elles sont.

Un inventaire mental est de mise

Quelles sont les idées négatives que vous avez au sujet de votre santé? Écrivez ce que vous pensez de vous-même concernant votre santé, vos habitudes sanitaires, ainsi que vos modèles relatifs à la santé. De tous les éléments que vous avez notés, y en a-t-il qui constituent des barrières ou des limites à l'idéal de santé dont vous rêvez? Fixez-vous un but de santé. Pensez «Je suis en santé. Je suis fort. Je suis radieux.» Éliminez tout ce qui n'est pas en harmonie avec cette pensée. Ayez le courage d'avancer vers ce but. Les barrières peuvent être éliminées. Chacun de nous a le pouvoir de choisir, et une fois qu'on a choisi son plan d'action, la vie coopère avec nous pour que ce choix se manifeste dans notre vie.

Quelles sont les idées négatives que vous avez face à votre prospérité? Suivez la même procédure et écrivez vos croyances à ce sujet. Vous laissez-vous attraper par une de ces faussetés?

1. Il est faux de croire que la prospérité dépend de la chance.
2. Il est faux de croire que la prospérité dépend seulement de notre habileté à gagner de l'argent.
3. Il est faux de croire que l'argent est mauvais.
4. Il est faux de croire qu'il est mauvais d'être riche.
5. Il est faux de croire que l'avarice est une vertu.
6. Il est faux de croire que le système économique est défectueux et qu'en conséquence il est impossible d'être prospère.
7. Il est faux de croire que l'impôt va tout prendre et qu'en conséquence il est inutile de penser à devenir riche.
8. Il est faux de croire qu'une vie prospère dépend de l'amas de biens et d'argent amassés pour le futur.
9. Il est faux de croire que nous sommes indignes de recevoir.
10. Il est faut de croire que la pauvreté est une vertu.
11. Il est nuisible de jouer au martyr en voulant prouver que la vie est contre nous.
12. Il est faux de croire qu'il faut être impitoyable pour être prospère.

L'argent n'est pas mauvais, c'est l'amour immodéré de l'argent qui est destructeur.

Quand une personne connaît la prospérité, elle ajoute à la prospérité d'autrui. Elle n'enlève rien aux autres, sauf si elle croit qu'il faut voler pour prospérer. La vraie prospérité est le résultat d'une croyance: la croyance qu'il est bon de prospérer en faisant usage de la créativité qui existe en chacun de nous. Éliminez les mots *pauvre* et *manque* de votre vocabulaire. Croyez-le ou non, la vie est *pour* et non *contre* vous. La vie veut que vous prospériez.

L'âge n'est pas une barrière

L'âge est un état d'esprit. Il y a des jeunes de 70 ans et des vieux de 30 ans. Ce qui est merveilleux, c'est qu'on peut changer d'idée à son propre sujet et devenir une nouvelle personne. Votre pouvoir vital intérieur est sans âge. Il peut servir à réaliser à tout âge n'importe quel but réaliste.

C'est à 84 ans que Lowell Thomas s'est remarié et qu'il s'est embarqué, avec son épouse, dans une nouvelle carrière: un projet de télévision en Asie et dans le Proche-Orient.

Léopold Stokowski à 94 ans a signé un contrat de cinq ans avec l'Orchestre Symphonique de Londres pour enregistrer des disques. Il a aussi signé un contrat pour diriger le même orchestre en public pour son 100e anniversaire.

À l'âge de 66 ans, le colonel Harland Sanders était sans le sou, sauf pour son chèque de sécurité sociale de $105 par mois. Il a décidé de s'en sortir. Il s'est souvenu de la recette de poulet frit de sa mère. Il a décidé d'essayer de vendre des franchises pour mettre en marche sa formule de poulet frit. Ce n'est qu'après les refus d'une multitude de restaurants qu'il a vendu sa première franchise. Le succès a été instantané. Dix ans plus tard, à l'âge de 75 ans, il vendait son entreprise de Poulet Frit Kentucky pour 2 millions de dollars, plus une rente considérable pour le reste de sa vie. Il s'était fixé une série de buts, chaque but le conduisant vers un autre encore plus grand. L'âge n'a pas été une barrière pour le colonel Sanders.

En 1972, Ray Kroc et son épouse ont célébré le 70e anniversaire de Ray en donnant 9 millions de dollars en actions de la *McDonald* à leurs employés et 7 millions et demi à des oeuvres de charité. À cette époque, sa fortune personnelle était évaluée à 500 millions de dollars. Seize ans auparavant, Ray Kroc vendait des mélangeurs pour faire des milk shakes et du lait malté. Il a vendu huit de ces mélangeurs à un petit restaurant à San Bernardino, propriété des frères McDonald. Il a vu toutes les grandes possibilités qu'offrait leur façon de gérer leur entreprise. Il s'est joint à eux et quelque temps après, il achetait leurs actions. Parce qu'il s'est fixé des buts, il a maintenant des restaurants dans le monde entier. Il ne se considérait pas trop vieux à 52 ans pour s'embarquer dans une nouvelle carrière. Il n'a pas laissé les barrières mentales faire obstacle aux buts qu'il s'était fixés.

La jeunesse n'est pas une barrière à la réalisation d'un but

Après une conférence que je donnais à New York, un jeune homme m'a demandé: «Vous souvenez-vous de moi?» J'ai dû admettre que non. Et puis, il m'a rappelé que dix ans s'étaient passés depuis la dernière fois que je l'avais vu. Sa famille le décourageait de son but de devenir chirurgien. Je lui avais dit que je comprenais l'attitude de ses parents, mais qu'il n'y avait aucun mal à se fixer un but et à travailler en ce sens. Je lui avais parlé de trois confrères à l'université qui avaient eu le même but à son âge et qui étaient devenus de grands médecins. Il voulait m'annoncer qu'il était lui aussi chirurgien et qu'il avait considéré son but comme étant réaliste et cela, à partir de l'âge de dix ans.

Mon jeune ami, Dick Bolte avait pour but de devenir millionnaire avant l'âge de 35 ans. Il voulait devenir millionnaire pour consacrer sa vie à aider les autres. Lorsqu'il avait 35 ans, on lui a offert un million pour son entreprise, offre qu'il a déclinée. À l'âge de 38 ans, il l'a vendue pour la somme d'un million et demi. C'est à cette époque que je l'ai rencontré. Il voulait savoir quelle était la meilleure façon de consacrer sa vie à aider l'humanité. Je me souviens d'une remarque qu'il me faisait ce jour-là: «Ce qu'il faut faire, c'est de se fixer des buts, *aussi impossibles qu'ils puissent paraître à ce moment-là, puis se diriger vers leur réalisation.*»

Et si Mozart avait cru qu'il était trop jeune pour composer sa première symphonie à l'âge de 5 ans, ou pour diriger l'exécution de sa première symphonie à l'âge de 12 ans?

Albert Einstein a surpris le monde scientifique à l'âge de 25 ans avec sa théorie révolutionnaire sur la relativité.

Nous devrions nous rappeler de temps en temps que l'âge n'est pas une barrière à la réalisation d'un but. Nous ne sommes jamais ni trop jeunes ni trop vieux pour réaliser nos rêves.

Le but insolite de Jack La Lanne

J'ai reçu une carte de Noël de Jack La Lanne. On y voit 13 bateaux pleins d'enfants tirés dans le port de Long Beach par une corde attachée à Jack La Lanne. Il a tiré ces enfants, pieds et poings liés sur une longueur de 2 kilomètres. Il a nagé comme un marsouin pendant 1 heure 34 minutes. Il se sentait *merveilleusement bien* après cet exploit: «Je voulais prouver, dit-il, qu'à 62 ans on n'est pas vieux».

Un écrivain trop jeune pour la retraite à 87 ans

Marguerite de Angeli, après une carrière de 40 ans, écrit et illustre toujours des livres d'enfants qui seront lus pendant des années. Son dernier livre *Whistle for the Crossing* (Sifflez pour la traversée) vient d'être publié. Son but est d'écrire aussi longtemps qu'elle aura de belles histoires à raconter. Récemment, elle recevait un doctorat honorifique de l'Université Lehigh. Elle a tellement de talent pour transformer les incidents de sa vie en livre; que cet incident pourrait bien être le sujet de son prochain livre.

L'incroyable carrière de grand-maman Moses

Dans un article du Sélection du Livre, Don Wharton écrit:

Elle avait 78 ans quand elle a commencé à peindre. Elle n'avait jamais suivi de cours d'art, n'avait jamais visité de galeries d'art et n'avait fréquenté l'école que quelques mois. Toute sa vie, elle a travaillé dans les fermes, dont 15 ans comme ouvrière agricole. Elle souffrait d'arthrite. Elle ne connaissait pas la différence de valeur artistique entre une peinture originale et une belle carte postale. Dix ans plus tard, Anna Mary Robertson Moses était une des artistes les plus connues du monde entier.

Sa carrière est sans pareille. Lorsqu'elle a atteint l'âge de 90 ans, des tableaux qu'elle venait de terminer se trouvaient dans des galeries aux États-Unis, en Autriche, en Allemagne, en Suisse, en Hollande et en France. À son 100e anniversaire, des cartes de voeux lui parvenaient des quatre coins du globe, incluant des messages des quatre Présidents vivants des États-Unis. Quand elle est morte en 1961 à l'âge de 101 ans, elle a fait la manchette de tous les journaux américains et européens. Ce n'est que maintenant qu'on réalise toute la grandeur de cette fabuleuse histoire.

Trop souvent les buts sont associés avec l'argent. Grand-maman Moses a peint pour la joie de peindre. Elle tenait à être payée pour ses tableaux mais les sommes importantes la laissaient indifférente. En 1947, son agent lui faisait parvenir un chèque de $12 000 qu'elle n'a pas encaissé. Il a dû lui rendre visite et insister pour qu'elle l'encaisse.

Elle a continué à apprendre et à améliorer son art. Elle a atteint son apogée à l'âge de 85 ans. Âgée de 88 ans, elle disait: «Je peux commencer cinq toiles le lundi et les terminer le samedi.» En 20 ans, elle a peint au-delà de 1 500 tableaux.

À son 100e anniversaire, on lui demandait quel serait son message pour les gens de 70 ans et plus qui voulaient profiter du reste de leur vie: «Je ne sais pas quel bien mon message peut apporter, mais je leur dirais de ne pas penser à la vieillesse ni à la mort. Le Seigneur nous a mis sur cette Terre pour que nous jouissions de la vie et nous devrions en jouir. Ils seront plus heureux s'ils oublient leur âge et s'ils pensent à aider les autres.»

Certains buts semblent insensés pour les autres - Et puis après?

Quand j'ai lu *Two Towers I Walk* (J'ai Marché Entre Deux Tours) dans le Sélection du Livre, je me suis dit: «Jusqu'où la folie peut-elle aller?» Qu'un jeune homme de 25 ans veuille franchir sur un fil de fer la distance qui sépare les deux tours du *Manhattan's World Trade Center,* me semblait une folie. Cent dix étages, 405 mètres au-dessus du sol! C'était un exploit *impossible.* La moindre oscillation des tours ferait céder le câble. Le vent qui souffle entre ces deux gratte-ciel pourrait l'emporter. De plus, tous les préparatifs devraient se faire en cachette, les propriétaires ne donneraient pas leur accord; si quelqu'un était blessé, ils seraient tenus responsables.

Même un pilote d'hélicoptère a refusé de voler entre les deux édifices. Mais je vais vous raconter une histoire pour vous montrer ce qui arrive quand une personne se fixe un but et y croit de tout son coeur.

Philippe Petit s'était implanté l'idée dans l'esprit en 1968, quand il avait vu l'esquisse des deux tours dans un journal parisien. Il avait découpé le dessin et tracé pour le plaisir une ligne reliant le sommet des deux tours; ensuite il avait mis la découpure dans une boîte marquée *PROJETS.*

En 1973, c'est dans *Paris Match* qu'il voyait une photographie des deux tours. La charpente d'acier était en place et les panneaux étaient presque tous posés. Fin 1973, il s'est rendu à New York où il a commencé à dresser un plan clandestin. Il a visité les tours, échappant à l'attention des gardiens et de la direction par l'air *officiel* qu'il affichait. Le lendemain, en compagnie d'un ami, il prenait toutes les photos nécessaires à l'élaboration de son projet. Puis il est retourné à Paris.

Le 13 mai 1974, Philippe est revenu à New York pour étudier les édifices et pour planifier mentalement chaque pas. Il a même loué un hélicoptère pour survoler les tours et s'habituer à la hauteur. Mais le pilote a refusé de voler entre les tours à cause des vents changeants.

Philippe a rassemblé une équipe d'amis pour l'aider à partir de ce moment. Il s'est lié d'amitié avec un homme qui travaillait au 82e étage et qui l'a aidé à faire les préparatifs quand il s'est agi de mettre son matériel en place. Il est intéressant de noter qu'à chaque fois qu'il a eu besoin d'aide, il s'est trouvé quelqu'un pour l'aider. Ils ont pu tout mettre en place sans qu'aucune des personnes en autorité n'en ait eu connaissance. C'était une série d'impossibilités rendues possibles par le seul fait qu'on passait à l'action.

Le 7 août au matin, le grand jour est arrivé. Tout a marché selon le plan. Petit est resté sur le fil plus de 45 minutes. Des milliers de personnes se sont rassemblées pour regarder cet incroyable spectacle. Il a été arrêté par la police tout de suite après. Sa sentence a été de donner un spectacle pour les enfants à *Central Park*, ce qu'il a fait avec plaisir. Peu importe ce que l'avenir lui réserve, Philippe ne recherche pas l'argent. Il convoite plutôt un idéal de perfection.

«Quand vous êtes enflammé, dit-il, vous pouvez déplacer des montagnes. Quand vous donnez tout à votre art, vous êtes transformé. Je n'aurai jamais d'argent dans une boîte parce que je veux faire des choses, fonder le cirque parfait, avec des funambules extraordinaires. Traverser les chutes Niagara et cette fois, directement au-dessus des chutes sur une longueur de plus de 2 kilomètres. Suspendre un câble à la Tour Eiffel et monter à un angle de 45 degrés.

Le seul obstacle: Vos barrières mentales

Toutes les histoire énoncées dans ce chapitre prouvent que si tous les éléments de la méthode sont présents: désir, détermination, concentration sur l'objectif, imagination, persévérance, volonté de gagner, toute la vie va coopérer avec vous. Il n'y a que vous qui pouvez empêcher la réalisation d'un but, pour autant qu'il soit honnête et réaliste selon vos propres standards. Le but de Philippe Petit peut vous sembler non réaliste, mais pour lui il était réaliste. C'est dans notre esprit que nous gagnons ou perdons.

Il faut se débarrasser dès aujourd'hui de ces barrières mentales qui ne sont que des traîtresses et c'est aujourd'hui qu'il faut avancer vers la réalisation de nos buts.

Chapitre XI

TOUT SUR LES BUTS — SOMMAIRE

Nous nous fixons tous des buts que nous en ayons confiance ou non

- Il y a des buts qui sont à court terme, des objectifs mineurs, tels les buts que nous fixons d'heure en heure, de jour en jour.
- Il y a des buts à long terme, des objectifs majeurs qui prennent plus de temps à se réaliser.

Se fixer des buts et les atteindre est une science et un art

- Cette méthode est efficace parce qu'elle est régie par des lois mentales bien définies.
- Ce que nous croyons à propos de nous-mêmes se concrétise indéniablement dans notre vie. À nous de faire notre part.
- C'est une loi de l'esprit que *ce que nous pouvons concevoir, croire, et attendre en toute confiance doit se réaliser.*
- Tout système qui vous permet d'abandonner mentalement vos buts au processus créateur de la vie, vous aidera à les atteindre.
- Vous ne pouvez voyager dans deux directions à la fois. Il est important de se concentrer sur un but.

COMMENT SE FIXER DES BUTS ET LES ATTEINDRE

- Ce sur quoi vous concentrez votre attention va devenir une réalité. C'est la loi mentale de cause à effet.
- Les pensées sont des choses. Vos pensées se matérialisent.

Réclamez vos buts ou renoncez-y

- Si vous les réclamez, vous les acceptez en esprit.
- Si vous y renoncez, vous abandonnez vos droits à ces buts.
- La vie va vous prendre à votre propre évaluation.

L'art et la science de la réalisation des buts peuvent changer votre vie

- Elle enlève la tension et l'anxiété de votre vie.
- Une fois qu'on a saisi comment se fixer des buts et les atteindre, notre vie prend une toute autre tournure.
- Comprendre comment atteindre des buts nous apporte la santé, la richesse et le bonheur.

Votre esprit est l'usine invisible qui travaille pour vous

- Il travaille pour vous même quand vous dormez.
- Vous pouvez lui poser des questions avant de vous endormir, et vous vous réveillerez avec des réponses adéquates dans votre esprit.

En nous fixant des buts, nous créons un moule dans lequel l'Énergie de la Vie va couler.

- Quand nous fixons de petits buts, nous fournissons de petits moules.

- Nos grands buts fournissent de grands moules.
- La substance de la vie a été appelée les *choses de l'esprit.*
- Ces choses de l'esprit coulent dans nos moules mentaux.

Le subconscient est notre serviteur

- Il est le constructeur de notre corps.
- Il est le siège de la mémoire.
- Il soutire de l'*Esprit Universel Inconscient* les idées qui vous sont nécessaires.
- Les buts que vous fixez deviennent des ordres pour votre subconscient.
- Il croit ce que vous lui dites et il exécute vos ordres.
- Le subconscient est le médium créateur de l'univers qui agit en l'homme, à travers l'homme.

Chacun a le pouvoir de choisir

- *L'Esprit Infini* ne fixe pas de limites; l'homme fixe ses propres limites.
- Chacun de nous a la responsabilité de choisir sa propre destination.
- Chaque fois que vous faites un choix, vous mettez en marche le Pouvoir de l'Univers.
- Chaque pensée est une semence dans le médium créateur de la vie.
- Ne laissez pas les autres choisir pour vous. Sinon, vous abandonnez votre liberté de choix, ce don de Dieu.
- Vos choix moulent vos buts.
- Attention aux choix négatifs; ils fonctionnent selon les mêmes principes que les choix positifs.
- Soyez prudents dans vos choix car ils vont se réaliser.

Se fixer des buts c'est se donner un plan pour le grand jeu de la vie

- Quand vous faites la liste de vos buts, l'usine de la vie les prend en charge immédiatement.
- Faire la liste de vos buts renforcit vos désirs et clarifie vos choix.
- Noter par écrit les buts qui sont atteints est un bon plan pour renforcir votre confiance.
- La confiance est l'ingrédient clé du succès.
- Faire la liste de nos buts nous donne un point de référence pour mesurer nos réalisations.

Les buts de chaque instant affichés au babillard: un raccourci pour les accomplissements

- Quand nous les gardons dans notre tête, nous avons tendance à en faire des soucis plutôt que des réalisations.
- Chaque jour, affichez sur votre babillard les six choses les plus importantes que vous avez à faire ce jour-là. Puis numérotez-les par ordre d'importance.
- Travaillez chaque but jusqu'à ce qu'il soit réalisé.
- Rayez-les quand ils sont atteints.
- C'est une excellente façon d'établir vos priorités.

La ténacité rapporte

Les trois *P* de la réalisation des buts sont la patience, la persistance et la persévérance.

- Refusez toutes les excuses. Elles sont les ennemis de la réalisation des buts.
- Ne vous laissez pas distraire.
- Ne vous laissez pas déranger par des interruptions.

- Ne remettez pas au lendemain. *S'il faudrait bien que vous le fassiez,* alors faites-le!
- Soyez flexible. Révisez vos buts s'il le faut.

La plupart des gens sont trop vagues dans l'établissement de leurs buts

- Les buts vagues engendrent de vagues résultats.
- Soyez précis dans votre liste de buts.

Le danger des buts non réalistes

- Les buts réalistes sont ceux que vous pouvez accepter mentalement.
- Les buts non réalistes sont ceux avec lesquels vous ne pouvez vous identifier.

Créer la bonne atmosphère de pensée est important

- L'atmosphère de pensée d'une personne est la somme totale de ce qu'elle pense d'elle-même, des autres et de son vécu.
- Chacun de nous crée ses expériences par sa propre pensée.
- Pour réussir dans la réalisation de buts, il est important de maintenir une atmosphère de pensée positive, affirmative et aimante.

Cessez de condamner vos actes et ceux des autres

- Abandonnez tout jugement et de vous-même et des autres.
- Personne ne sait ce qui est meilleur pour les autres.

- Il est impossible de juger dans le temps une réalisation; elle peut se manifester d'un moment à l'autre.
- N'acceptez jamais la défaite; vous êtes peut-être à un pas de la réussite.

Se fixer des buts ne veut pas dire manipuler la vie

- L'établissement des buts donne une orientation à notre vie.
- C'est une façon de choisir un objectif et d'avancer vers cet objectif.
- C'est aussi une approche méthodique à la vie.

Plusieurs techniques s'offrent à vous
(Voir chapitre VII)

1. La technique du choix d'un but légitime
2. La technique de l'auto-identification
3. La technique du miroir
4. La technique de la visualisation
5. La technique de la carte aux trésors
6. La technique de vivre ses rêves
7. La technique de l'autodétermination
8. La technique de l'enthousiasme émotif
9. La technique de l'auto direction
10. La technique de l'abandon confiant
11. Un bon leadership - Fixer des buts pour un groupe
12. Le *Grand Secret* de la réalisation des buts: utiliser le principe *MAINTENANT!*

Laissez tomber les barrières mentales, AUJOURD'HUI

- Faites le grand ménage de votre gîte mental.

- Demandez-vous:
  Quelles sont les idées négatives que j'entretiens au sujet de ma santé? de mes affaires? de ma vie familiale? etc.
- L'âge n'est pas une barrière pour atteindre nos buts.
- Vous êtes le seul obstacle entre votre but et sa réalisation.

Quelques conseils avantageux

1. Fixez-vous des buts qui soient des défis. Mais attention! Vous devez vous surpasser et non vous anéantir. Ils doivent être en harmonie avec ce que vous êtes. Chacun définit ses limites parce que les buts sont des objectifs personnels.

2. Identifiez-vous à vos buts. Soyez réalistes. Ne vous leurrez pas. Chacun se fixe ses propres buts. Les buts que vous fixez pour un autre peuvent être inacceptables à ses yeux.

3. Vos buts doivent être fixés de manière positive et affirmative.
   La bonne façon: «Je suis libéré de l'habitude de fumer».
   La mauvaise façon: «J'aimerais arrêter de fumer.»

4. Soyez patient. Il n'est jamais nécessaire de mentir, de tricher, de voler ou de faire du tort pour atteindre un but valable et réaliste. Croyez que votre but est déjà atteint.

5. Attention aux buts qui sont motivés par l'envie, la jalousie, ou tout autre faux motif. Ils vont se retourner contre vous.

6. Votre liste de buts doit être au présent, comme s'ils étaient déjà atteints. Acceptez-les en esprit MAINTE-NANT.
   La bonne façon: «J'accepte l'emploi idéal et parfait pour moi.»
   La mauvaise façon: «J'ai besoin de travail. Je suis en chômage depuis si longtemps.»

7. Avant même d'avoir des présages de la réalisation de vos buts, remerciez la vie des résultats obtenus.
   «J'agis comme si j'étais... et je serai.»

8. La vie travaillera avec vous dans la mesure où vous travaillerez avec la vie.
   «Il vous sera fait selon votre foi.»
   «Tel un homme pense dans son coeur, tel il est.»

9. Ne fixez pas vos buts sans réfléchir. Soyez certains que vous assumez tout ce qui en découle.
   Exemple: Êtes-vous prêt à refuser votre rente d'invalidité lorsque vous recouvrerez la santé?

10. Les mêmes règles s'appliquent aux buts de groupes: la réalisation d'un but est déterminée par l'intensité du désir, une inébranlable détermination à réussir et la conscience d'atteindre un but.

ACHEVÉ   D'IMPRIMER
EN   SEPTEMBRE   1980
SUR LES PRESSES DE
PAYETTE & SIMMS INC.
À SAINT-LAMBERT, P.Q.